young you comics
special pin-up

おいしい関係①
CONTENTS

おいしい関係 1
act. 1
槇村さとる

あの日は
いつもと同じ
幸せな一日だった
おひさしぶりです
藤原《ふじわら》さまの
奥様
お嬢様
月に一度の家族の会食
パパ！
お父様はもう
おいでになっておられますよ
淳子《じゅんこ》！
百恵《ももえ》
おー なんて
きれいなんだ
すごいわ
今日は
「シェ松平」を
借りきったの？
そうだよ

淳子さんとの結婚25周年
そして百恵の20歳の誕生日だもの
あなた♡
淳子♡
ほの暗い店の中にあったかい光――
生の弦楽四重奏シェフの松平さんの完璧なお料理
木いちごのシャンペン――
百恵ちゃんもそろそろいい方を見つけなければねお見合いの話ももうお断りしきれない程きてますよ
いや百恵はお嫁にはやらん
ずっとパパといるんだよ
うん

パパと踊って――
百恵は世界で一番幸せになるんだよ
うん
――そこで世界は
パパ?

パラ
シャンパンの泡が
消えるように
パパ!
パラ
終わった——

まったく倒産なんて人ぎきの悪いことをしてくれて
バブルな仕事に手を出しすぎたんですよ
うまいものばかり食いすぎたんだろう
しっ
パパ
パパ——!!

やさしかつた
パパ
ママと私に
おいしいものを
食べさせるのが
大好きで
あと3km走ったら
ふぐ食べに行っても
いいよね
MIZUMO
SPORTS
…
太るのを気にして
ランニングマシンで
走つてから
レストランにいそいそ
出かけたパパ
おいしい料理は心に効くんだよ
ささくれだった心が
なめらかになるだろう?
それから
愛しい妻と娘!
それが私の
人生の全てさ

最後のお別れでございます
いやーっ 春彦《はるひこ》さん 起きて 起きて!!
淳子さん!
いっしょに行こうって 言ったじゃない
いや……
いっしょにベネチアで 牛のもつ煮と いかスミの スパゲッティを 食べようって〜〜〜!!
さよならパパ……

淳子さん
実家《うち》へ戻って
らっしゃいな
またにぎやかに
なるわ
百恵ちゃんも
はい
お義姉さん
ありがとう
ございます
いいお天気
BTS《ベーコントマトサンド》をつくって
庭でピクニックした
あの時みたいだね

以上で お荷物全て 搬入いたしました
こちらにハンコを お願いします
たかしーっ 遊んでないで 勉強しなさい
百恵ちゃーん ハンコどこ〜〜〜〜!?
ありがとう ございました
ごくろう様
やっぱり天井が 低いわねえ こういう建物は
和室の畳は 偽物だし
壁はビニール 臭いし

ぴと…
ほら
ノエルちゃんだって
いやよね――
こんなせまいところ
ぷロぷロぷロ
じゃあ
やっぱりママの
実家に
行きましょ
イヤッ
あたし
美子《よしこ》義姉さん
大ッキライ
いじわるなんだもの
あの人
あの人の前で
同じ着物を着て
ごらんなさい?
うれしそうに寄ってきて
本当にいつもそのお着物
お似あいよ…とか
言っちゃって
じゃビニールで
ガマンして!
……
あーあ
お着物全部
もってくれば
よかった
お腹も
すいちゃったし

HAN
GOHAN
GOHAN
GOHAN
そうか……
もうトメさんもいないんだ自分で何かつくらなきゃ
ねえ麻布の「小野」へ行きましょうよそろそろ牡蠣がおいしいわよ
ダメッ!!
そんなゼータクできないの! このマンションだって元会社の部下がふびんに思って格安で売ってくれたのよ
お金がなくなったら実家からもらえばいいわ
そんなことしたら美子おばちゃんにバカにされるでしょ?
させないわよっ私だって出ちゃったけどあのうちの娘よお
何が娘よ45にもなって〜〜
あっひどいっ
とにかく節約よごはんは——
ゴン
毎日あたしがつくってあげる!

わーすごーい
百恵ちゃんて お料理が上手ねえ あっという間にこんな
おっ
お湯で あっためれば いいってゆう 簡単なヤツが あったの
へええ 便利ねえ ママでもできそう
全部レトルト
いただき まーす
はい エルちゃんも

カタッ
なに——これ
だら
ま・・・
だらだら
ぺっ
ず
いーっ
どれ…
あらそーお?
何この味!歯が浮く!海岸でころんで砂食べちゃって口の中切っちゃった時の味みた———い!!
そこまで言わなくっても

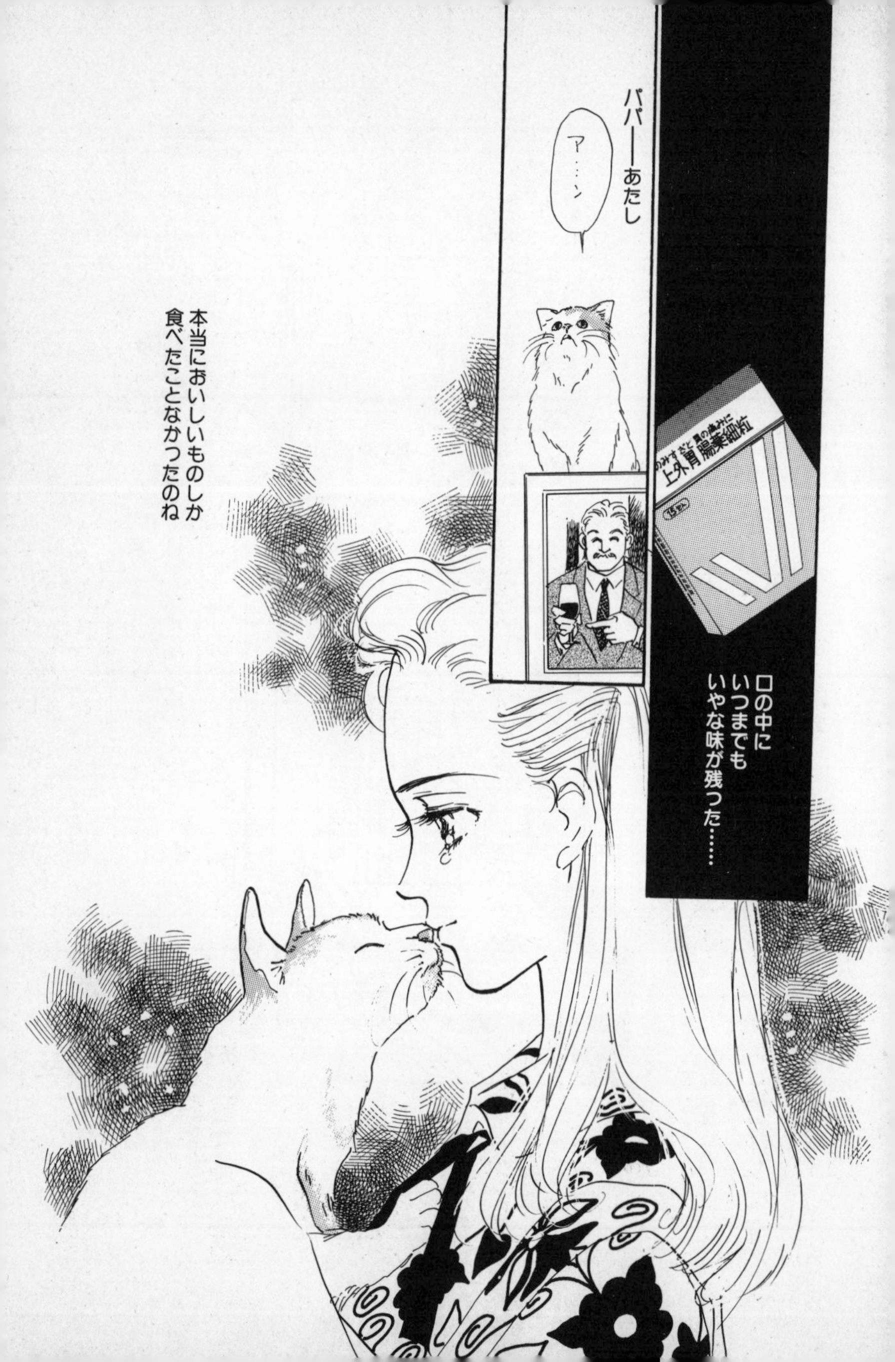
口の中に
いつまでも
いやな味が残った……
上外胃腸薬細粒
パパ——あたし
ア…ン
本当においしいものしか
食べたことなかったのね

聖華女子短期大学
就職課
あたってみたけれど もう銀行や商社は どこも内定を出しおえて いるのよ
あまり責任を もてない所は 紹介できないし
特に今年は 買い手市場だから
藤原さんは 特に一般事務 むきの勉強は してないし
日舞の名取り お茶のお免状 バレエを10年 ピアノが得意
それはそれで いいんだけど ……
悪いことは 言わないわ 親せきの方に お願いなさっては？

ええ!? 百恵ちゃんが働く!?
似合わない 結婚しなさいよ
やっぱり 専業主婦が一番 ゼータクよ
だれと?
条件の あう人と—— お金持ちで ゼータクさせて くれて
お母様と 2人いっしょに めんどう見て くれる——って 条件
条件が あっても 性格が……
第一条件を のんでくれれば 大合格よ
何もかも 求めるなんて 子供のすること
ざわ ざわ ざわ ざわ
そっ…そうね
でも もう少し仕事を あたってみる もの好きなやとい主も いるかもしれないし
ざわ ざわ
わがままな子供 ——でも
結婚なんて できるのかしら

結婚──なんて
考えたこともない
空想の世界だわ
白いドレスで
バージンロードで
パパに手を
取られて
歩くの
それから……
だめだぁ──っ
考えたこともないことを
あわてて考えても〜〜〜!
ぼわーーん…
ただいま──

おかえり！
お夕飯食べちゃった
え
何つくったの？
食べたーい
お腹すいたー
「八法」さんの
ちらし寿司よ
おいしかったわ
出前たのんだら
「本当はしないんですが
奥様のたのみ
なら」ですって
ふふ
ガッ
チーン☆
「八法」お寿司
一人前5000円
百恵の分も
あるわよ
5000×2＝10000円
チーン☆
冷蔵庫の
中よ
どよ〜っ
ひからびっ
心を鬼にして
ママにこれからの
うちの経済のことを
話さなきゃ

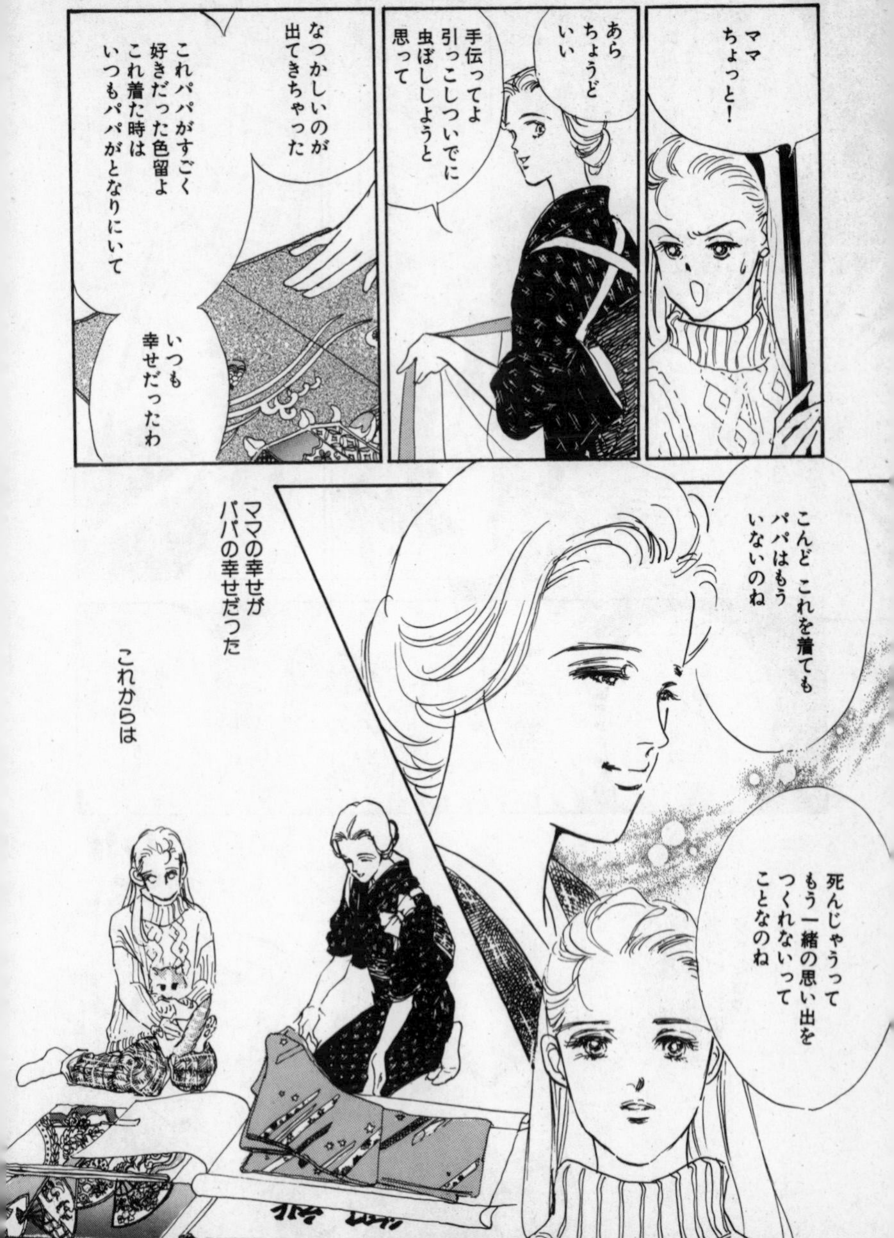

ママ ちょっと!
あら ちょうど いい
手伝ってよ 引っこしついでに 虫ぼししようと 思って
なつかしいのが 出てきちゃった
これパパがすごく 好きだった色留よ これ着た時は いつもパパがとなりにいて
いつも 幸せだったわ
こんど これを着ても パパはもう いないのね
死んじゃうって もう一緒の思い出を つくれないって ことなのね
ママの幸せが パパの幸せだった
これからは

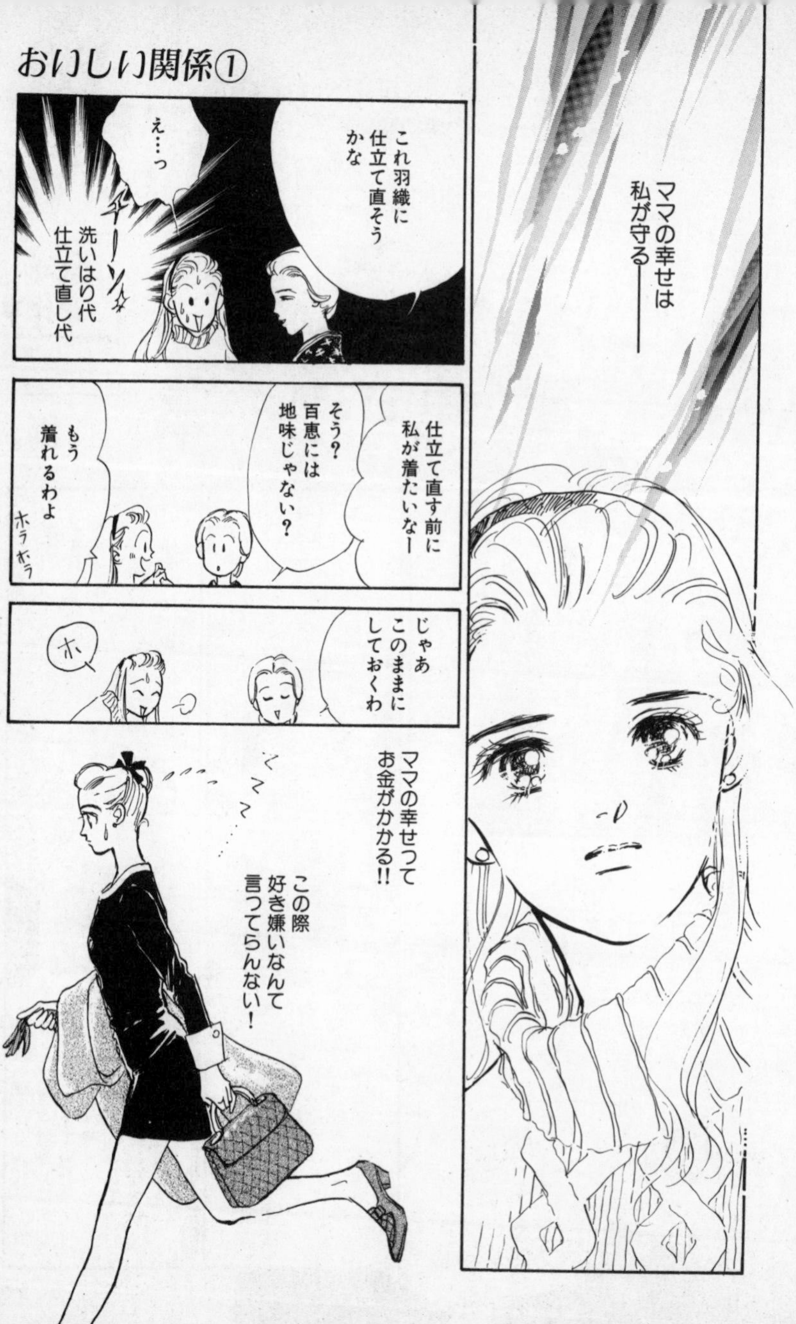
ママの幸せは
私が守る——

これ羽織に
仕立て直そう
かな
え…っ
チーン
洗いはり代
仕立て直し代
仕立て直す前に
私が着たいなー
そう?
百恵には
地味じゃない?
もう
着れるわよ
ホラホラ
じゃあ
このままに
しておくわ
ホ

ママの幸せって
お金がかかる!!

この際
好き嫌いなんて
言ってらんない!

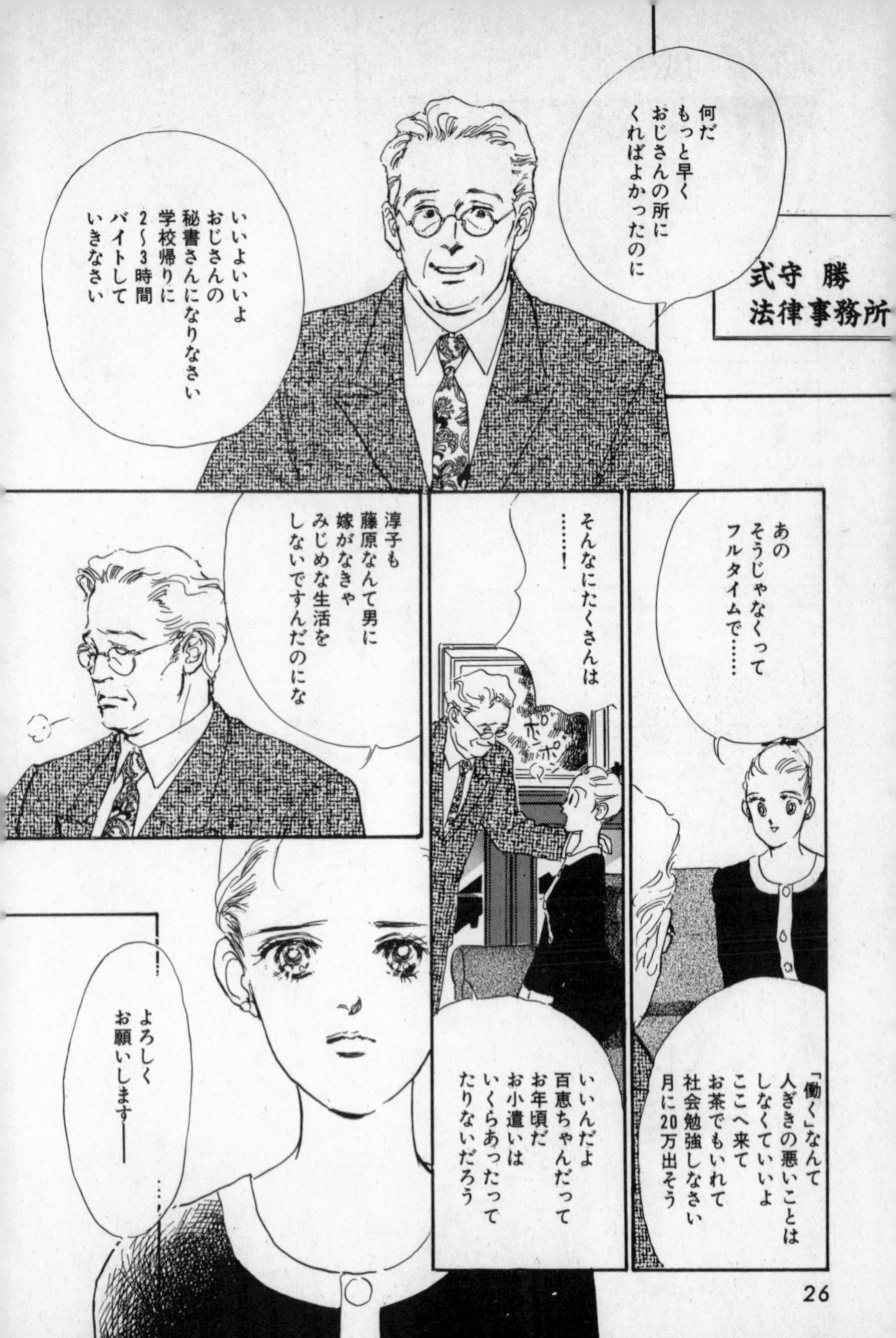
何だ もっと早く おじさんの所に くればよかったのに
式守 勝 法律事務所
いいよいいよ おじさんの 秘書さんになりなさい 学校帰りに 2～3時間 バイトして いきなさい
あの そうじゃなくって フルタイムで……
「働く」なんて 人ぎきの悪いことは しなくていいよ ここへ来て お茶でもいれて 社会勉強しなさい 月に20万出そう
そんなにたくさんは ……!
ポンポン
いいんだよ 百恵ちゃんだって お年頃だ お小遣いは いくらあったって たりないだろう
淳子も 藤原なんて男に 嫁がなきゃ みじめな生活を しないですんだのにな
……!
よろしく お願いします――
……

いらっしゃいませ
おいしいんだよ この人のお茶は
ほんとうだ!
ありがとう ございます
私の姪 なんですよ
いい縁談が あったらぜひ 紹介して くださいよ
パタン
やっぱり お嫁に行くのが 正しい選択なのかな
私の場合――
コリ コリ コリコリ
コリ
亀屋の豆菓子 おいしいっ
ポリッ

お嫁に行くにしても
行かないにしても……
毎日のごはんぐらいは
つくれなくちゃなア
実用
料理・手芸
COOKS BOOK
本格フランス
本格社
仔羊のローストかあ
油と野菜のエキスが羊の肉にしみこんでおいしいのよね〜〜〜
つくってみようかな
わからないっ
やっぱり初心者はこっちか！
バドンー！
はじめてのお料理

あ
実用書
スポーツ
あら……
ステキな……

女のくせに……
みっともねーの
あぐ……
嫁に行く前の
つけ焼き刃じゃ
ダンナもかわいそうだ
クッ クッ クッ

あ゛
う゛
ぐ
通り魔的発言!!
何よ
放つといてよ
あんたの嫁に
なる訳じゃないわよ
あんたみたいな
性差別男は
私の好みじゃ
全然ないわよ
ちょつとぐらい
かつこいいからつて
しようつてんじゃ
ねーの!?
おい
う
ぐふふふ
ガク
UMEBOSHI
よよ
NIBOSHI
OKIAGARI KOBOSHI
ZUBON
MONOHOSHI
でも
図星
うまくなりゃ
いいんでしょ
なりますとも
お米
ちょうだい
へい

うぎゃらぴ〜〜
ぬるぬる〜〜〜
うう……
御免ネ
ゴト
ボトッ!

ただい……
げほ
ごはんだよ
ぶほ
まずい〜〜い
こんなのごはんじゃないっ
ぐじぐじのべちょべちょ
甘みがない水くさい
さばはくさい
うまみがない
ボソボソ
大根おろしは
切れがない
味噌汁は
まぬけな味だっ
まずい
まずい
まずいったら
まずいっっ
自分でつくって
何もそこまで……
よよよっ

お食後に「水上屋」のオレンジケーキ食べたいなー
いつか私がつくってあげるから
楽しみにしてて
はーい♡
ママ
これ……
この請求書——
ああ
いい帯があったのよ
来年の初釜はそんなに派手にできないでしょ
地味な袋帯がひとつほしかったし
地味だけどいい柄よ

100万…
100万って どういう金額か わかってる？
これでも ずいぶん サービスして くれたのよォ
私がおじいちゃまの とこで 見せものの お人形みたいに あつかわれて お茶いれて働いて 5か月分よ！
働いてるの？ お兄ちゃまの ところで？
そうよ だって 2人で暮らす分 くらい働かなきゃ
それだけは やめてちょうだい あたし美子さんに だけは頭下げたく ないのよ
ママ!!
今までとは ちがうの！ わかってる？
パパが残して くれたお金は そりゃいくらか あるけど
いままでみたいな 贅沢してちゃ あっという間に なくなっちゃうのよ!?

なくなったら
実家へ帰るもん
ママ……
子供みたいなこと
言わないで
お願い!!
あたしを
あの家へなんて
つれてかないで
あのおばちゃま
苦手なのよ
キッ
だったら
お兄ちゃまの
所でなんか
働かないで!!
グイ
甘ったれっ
世間知らず!
いつまでもお嬢さんの
つもりでいないで!!

はっ…
ママ…
じゃまなら
出て行く!
ママちがう
出てくわよ
百恵の世話に
なんか
ならないもん
やめる!
ぐいっ
やめる
やめる
やめるから

ほんと?
うん
だから帯はあきらめて!
うん
こんなことで
やっていけるんだろうか
胃薬切れたから駅前の薬局行ってくる

これから先
大丈夫なんだろうか
いつか我慢できなくなって
ママを傷つけたらどうしよう
泣いたって
だめ
しっかりしなきゃ

あ
求む
月給20万円
明るくさわやかな
薬剤師さ
がく…
勉強しなきゃ
せめてワープロ
ぐらいは……
打て……

いいにおい……
Petit Lapins
ああ
幸福の風景は
世界中どこへ行っても
同じだわ

ホッ
カラ…
ペチャクチャ
いらっしゃいませえ
ドン!!
マハハハ…
ま…いいか
そーゆー
お値段だものね
お夜の定食
Set Menu
パンorライス・サラダ・コーヒーor紅茶付。
オムライス 1.500
チキンカレー 2.000
ビーフシチュー 3.000
シェフの おまかせ コース
6.000 円
Dinner
アラカルトよりお好きな料理を1つお選び下さい
グラスワイン・本日のスープ
パンorライス・サラダ
本日のデザート・コーヒー
4.500
Drink
コーヒー 400
紅茶 400
ミルク 400
肉料理
チキンソテーレモンソース 1.800
チキンのトマト煮 1.800
オムライスの
定食に
コーヒー
はぁあ～～い

ガチャ ガチャン!
あ
百恵
いやなことがあって
死にたくなった時
パパがどうするか
わかる?
百恵の顔を見る!
ははは
それができない時さ
とにかく
レストランに
入るんだ
人間腹がへると
ろくなことを
考えない
からな
うん
おまちどーさまー
どどんっ
そうすれば
ママにも——
いただきます

もっとやさしく……
あつ
カタン！
……

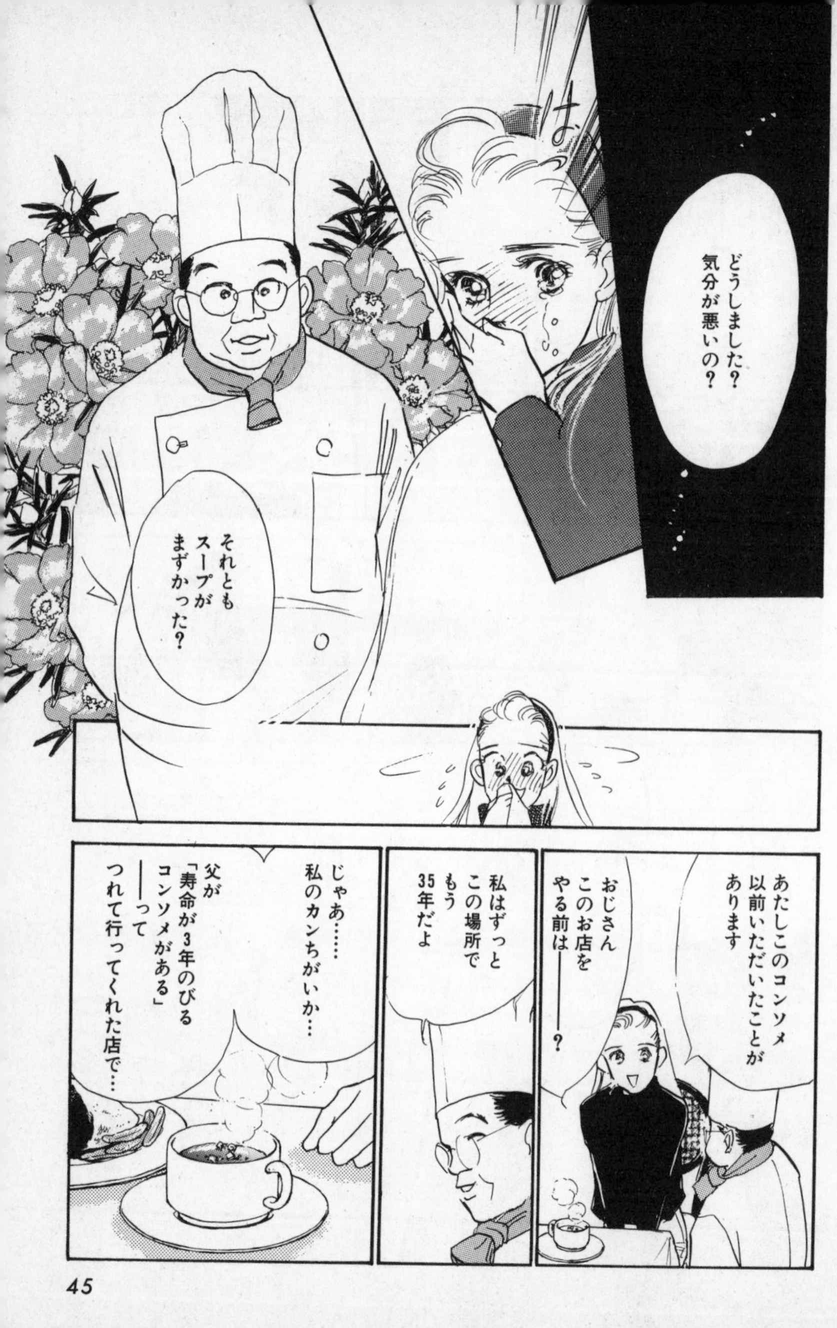
どうしました？
気分が悪いの？
それとも
スープが
まずかった？
あたしこのコンソメ
以前いただいたことが
あります
おじさん
このお店を
やる前は――
――？
私はずっと
この場所で
もう
35年だよ
じゃあ……
私のカンちがいか…
父が
「寿命が3年のびる
コンソメがある」
――って
つれて行ってくれた店で…

幸せでした
その時は
父も元気で——
思い出しちゃった
そりゃ
光栄だな
オムライスは
どうだい？
んーーっ
チキンライスの鶏肉が
とっても力があって
おいしい！
ガチャ
すみま
せーん
……
……
行儀が
悪い店員で
おちつかんだろう
すまんね
なぜか従業員が
寄りつかなくてね
ハンパなバイトを
雇うしかなくって
厨房も
人手不足でね
厨房——

カタッ
サラダ
まずいかい？
ブン
ブン
ゴホッ
私を雇ってください
料理大好き!!
人にサービス
するのも好き！
え
それに
母のめんどうを
私が見なきゃ
ならないんです
うっ
わかった
シェフに
あわせるよ
おいで
え
おじさんが
シェフじゃ…

織田《おだ》くん
コック見習いの
応募者がきたよ!
とっ
通り魔!!
このお嬢さん
料理が得意
なんだってさ
どうだろう

女はお断り
すぐ泣く
なっなっな…
何ですか!?
女性差別野郎!
「女」は泣くかもしれないけど「わたし」は泣きません!
甘ったれる
「わたし」は甘ったれません
――ウソをつく

ウソはつかないわ
じゃあ
客に出せる料理を
一品つくってきな
明日の晩見てやる
織田くん
君がそーゆー
ことゆーから
みんな
やめちゃうん
だよお!
いいわ
女でも何でも
旨いものつくれば
いいのね!?
じゃま
あ

ただいま
ママ？
パタン…
客に出せる料理…
あ…パパと
お話してた
へへ
おやすみ
ごはんも
ろくに
たけないのに
ぐすん

伊勢エビのブイヤベース スズキのベルガモットソース コキーユ
エスカルゴ・ア・ラ ブルギニョンヌ オムレツのスフレ
そうねこの時季なら 鹿ロース肉のノワゼット
牛だったら マディラ酒と ドゥミグラスで ―
スル。。!!
食べたいものなら 100でも言える
でも自分で 作れるものは……
小さい時に トメさんと ドーナツ つくってたじゃない
あれ おいしかった!
ガクッ
ドーナツか

ドーナッツに
お茶の葉つぱを
くだいて入れたら――
ぜつたい
おいしい
おもちと
ドーナツもあうな―
よし!
早く
食べさせて♡
ふふふ
見てなさい 織田くん
ぐにぐにぐに
あたしの味覚は
生まれた時から
特訓されてたのと
同じなんだから!

あ〜〜〜ん
口あたりが
最悪〜〜!!
まだ
やってたの？
材料かしら
まぜ方かしら
味には自信が
あるのに
腕はな〜〜〜い！
わぁ〜〜ん
どきなさい
ママがつくって
あげるから
えーっっっっ
ちょん♡
ほろほろって
口の中でとけて
おいしい

どうしてこんな上手な生地なの
コツのコツだけでいいからおしえて
そんけーっ
知らなかったママがお料理するなんて!!
教えてあげてもいいけど
どうしてそんなに必死なのか話してちょうだい
どうしてって……
そりゃ生活のために就職したいから……
こんな百恵ちゃんはじめて見たわ
だってお茶くみなんかよりお料理つくる方が……
ううんちがう……!!
おいしかったから……
あの人の料理に少しでも近づきたいんだ

んなもんが料理かっ!!
ど――ん!
食べた人が幸せや驚きやノスタルジーを感じれば
ドーナツだって立派な料理よ
屁理屈が達者な奴に限ってまずいものをつくってくれるんだこれが
食べてから言って!

答えは客が出す
木村《きむら》！ドレッセしてやれ
はい
お客さんに出していいんですか？
食べてもらって身の程を知れ
食べてもらっていいの!?
いちいちうるさいっ
きゃーーっ
盛りつけます…

ドキドキドキドキ
がんばるんだよ
ドーナツ
大丈夫!
みんなとっても
おいしそう
ドキドキ
ドキドキ
さあ 行こう!
ザワザワ
こちら
サービスで
ございます
あら
ありがとう
ドン!
じーっ
何か?
あっいえ
早く
食べて
食べてっ!!

お
いしい！
うまい
ワイ
ママ ドーナツ おいしいよ
ワイ

ドーナツ
好評ですよ
バ
ジューッ
あっうまいや
お茶っ葉が
入ってる
生地も上手
形はひどいけど…
ふ…ん
こんなもので
ごまかされるか
パタ
パタ
パタ

すごいっ!!
残さないで食べてくれた
すごい!!
お客が喜べば
百恵ちゃんは
合格だったね
うん!
あ
え!?
ただいま
ママ!!
ガチャ!!
就職決まったよ
すごくおいしいレストランの
見習いだよ!
マ…

ちえっ
プルルル…
プルルル…
プルルルッ
はい藤原です
今日はお花のおけいこか
百恵ちゃんかい?
あっおじちゃま?ママは今日お花で――
そこで倒れたんだよ入院させたからね
ガクッ
え
青山病院だよすぐきなさい
イヤ……!

ママまで いなくなつたら あたし…!!
タクシー!
過労だよ
四十九日が終わって それまで張ってた 気が急に ぬけたんだろう そういうもんだ
おまけに 栄養状態も 悪くてひどい 貧血だそうだ
百恵 ママと一緒に おじさんの家に きなさい 不自由は させないから
わかったね

ママを守るって
私が守るって決めたのに——!!
ごめんね
百恵はパパじゃないのに
甘えてて
ママはママの生き方を探さなきゃいけないのに——
こわかったの
ひとりきりになっちゃったのを認めるのが……
ママは一度実家へ帰るわ
百恵ちゃんどうする?
もちろん一緒に——

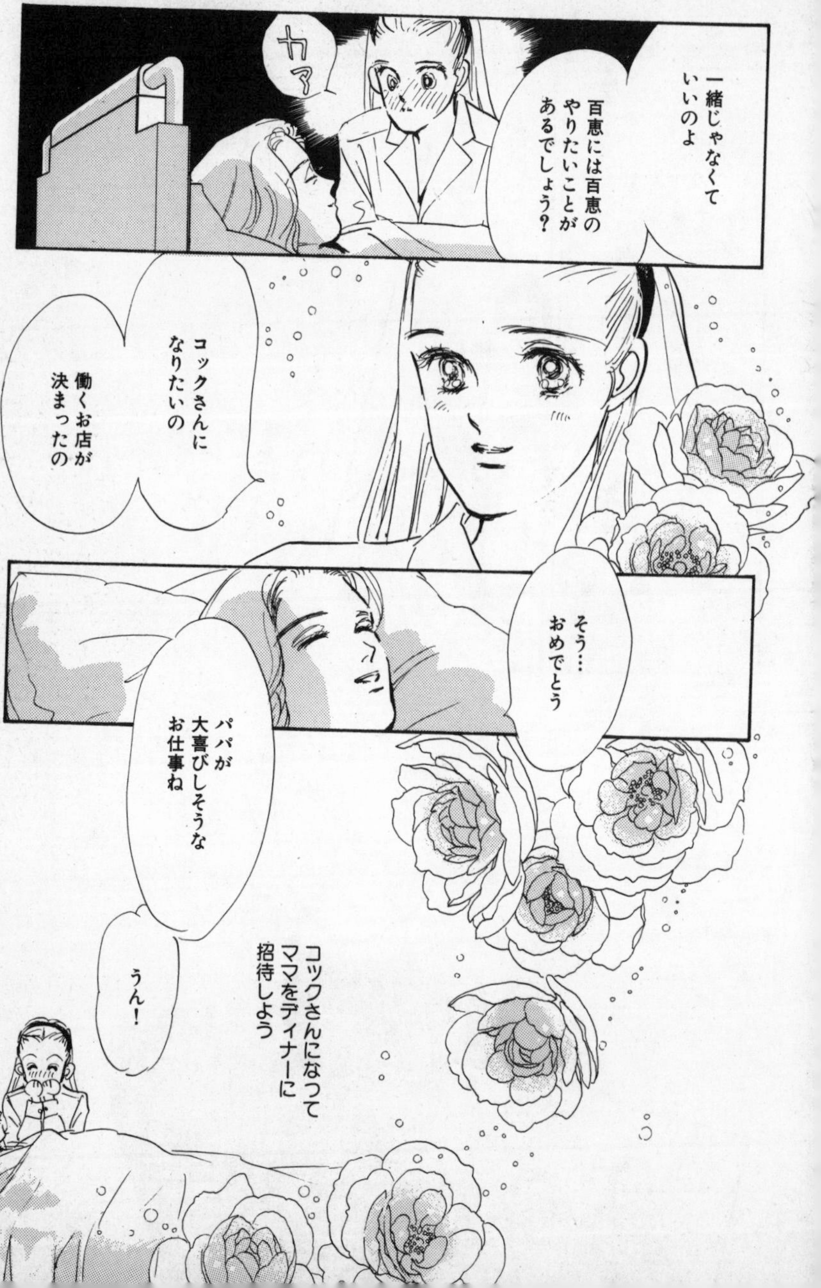
カァ
一緒じゃなくて
いいのよ
百恵には百恵の
やりたいことが
あるでしょう?
コックさんに
なりたいの
働くお店が
決まったの
そう…
おめでとう
パパが
大喜びしそうな
お仕事ね
コックさんになって
ママをディナーに
招待しよう
うん!

あの頃の幸せをもう一度
ママに味あわせてあげよう
職人になる――!?
うそ―― 中退して?
調理技術者!
ガテンかぁ
藤原さん 気を確かに!!
高のぞみしなければ仕事はいくらでもあります!
我校を出てそういう仕事についた人は……!!
自分の手でつくったものでお客さんに喜んでもらう――
それ以上のお仕事はないと思います
藤原さん!
食べに行くねー
女の幸せをすてるなんて…

レストラン プチ・ラパン
今日からここが 私の学校！
おはよう ございます！
おはよう ございます コールドやってます 木村です
むっ
シェフ 何しましょう
店内に おまえの髪の毛が 1本でも落ちてたら クビだ！
はいっ
イモの 皮むき！

どんっ
いつもああなんですか? 織田さんて
北海道産
北海道産じゃがいも
そうだよ
不思議だわ 謎だわ ヘンだわ 知りたいわ
え
織田さんの過去
あ—— 日本料理やってたって言ってたけど……
あの目つきなら日本料理でもぴったりよ
ホラ日本料理ってキビシイじゃないですか だから洋食屋にきたんじゃないですか?
こう持ってこう
はい
厨房からフォンドヴォーのにおいがする

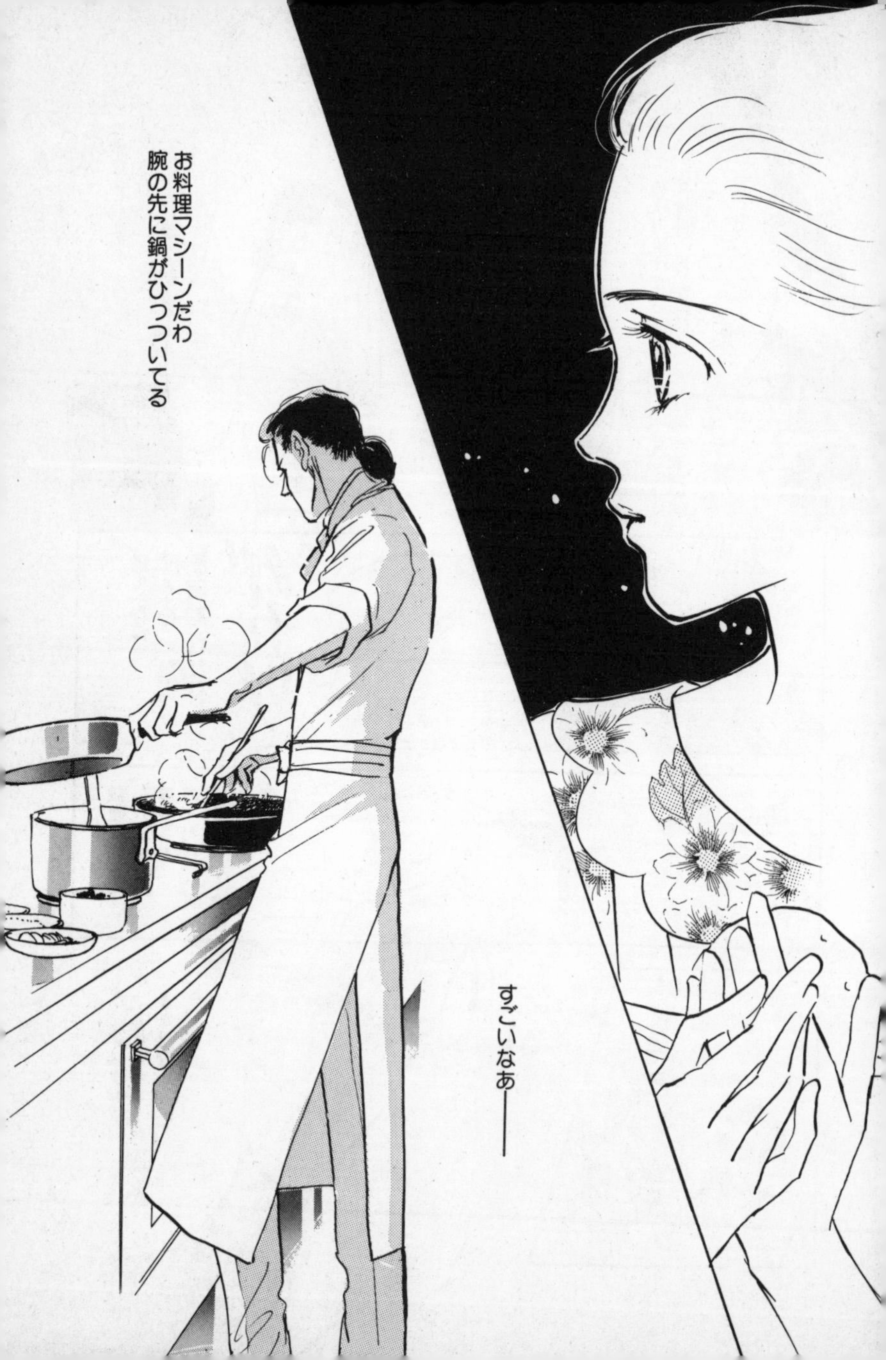
お料理マシーンだわ
腕の先に鍋がひっついてる
すごいなあ――

二度は言わない
よくきけ
はいっ
料理の値段は
原材料の約3倍だ
はいっ
おっす 寒いです
アスパラ
こんなに
厚くむいたら
原価割れだ!!
バカッ
はひーっ
ここは
料理学校じゃ
ないんだ
藤原さん
あなたは
「イモの皮むき」
という
仕事を
してるんだ
ぱぴぴ
もうインスタントの
ホットケーキミックスじゃ
ごまかせないぞ
ニッ
みすかされてーら
このネタで
毎日
イビろう

くそっ
すごいいじわるだ
こいつ
さっすっがっ
織田さんの舌は
だませませんでしたか
はーははは
そうですね
織田さんは
こんなお店で
働くような人じゃ
ありませんもの
ゴロゴロ
お世辞
つけとどけのたぐいは
受けつけん
もっと迫力のある
古典派の
レストラン
そうだな──
例えば
パリの二ツ星
「グラン・ブルー」で
働けると思う！
嬉しいことを
言ってくれるね
お礼に──

どか!!
もっともっと皮むきの練習をさせてあげよう!
道産じゃがいも
北海道産 じゃがいも
パパ――
あたしはやっと自分のやりたいことを見つけました
今日はじゃがいもを30kg
にんじんを20kg
アスパラガスを2箱
むきました
アスパラ
アスパ
にんじん

「おいしい関係」act.1ーおわりー

野菜の味が濃くって
おいしいラタトゥイユ
忘れられない
フランスの田舎で食べた
グレッグ――
タンポポのえぐみが
くせになりそうな
サラダ
あああっ
もうお腹いっぱい
でも　もっと
食べていた――い!!
ああ
ばっ
ガッ
つとめはじめて
から
見る夢は
食い意地の
はったヤツばっか
ごめんね
パパの夢を
ちっとも見なくて
パパー↓
パン
行ってきます!
百恵は今日も
鬼のような
師匠のもとで
修業してまいります

おいしい関係
act.2
高原
きゃべつ

見習いの私は10時に出勤する
Petit Lapi
おはようございまーす
おはようございます
第2コックの木村大地《だいち》くんはその日のデザートを仕込んでいます
今日のアイスクリームは何？
紅茶とカシスだよ
だあーーっ
この仕事は絶対私にむいている!!

野菜の切り出しと
せっ せっ せっ
たま
たま
店内のそうじと
きびきびきび
テーブルのセッティングを——
しゅっ
しゅっ
ザザザッ
あっっ

ばかやろうっ
あ
わわっ
備品を大切にできない奴はクビだ
リネンに汚れがついたら殺すぞ
女ってヤツはどいつもこいつも雑な神経で——
ガミ
ガミ
ガミ
ガミ
百恵さーん
サラダのセットお願いしまーす
助かった
昼の定食用のサラダのセットをまかされ
レタスとキュウリとブロッコリーと
トマトのはぎれを——
………

ぱく
謎――
味のない野菜
パリパリ
この野菜
築地で仕入れるの?
ふうん
出入りの八百屋に
TEL注文で――
謎だわ
毎日あんな
ていねいに
フォン・ド・ヴォーを
ひいている
レストランなのに
まぬけなサラダ
むっっっ

いくら水切りを
ていねいにしても
だらだら水っぽくて
ドレッシングの
味しかしないの
まずいキュウリ
ふふ
商売ってものを
知らない
女子供のセリフだな
昼定の値段と
みあう料理じゃなきゃ
店はつぶれるんだよ
赤ちゃん
むかっっ
それより前に
サラダがまずくて
この店は
つぶれるわよ
つぶれる
つぶれる
つぶれる
カラリン
なにが
つぶれるって?
わっ

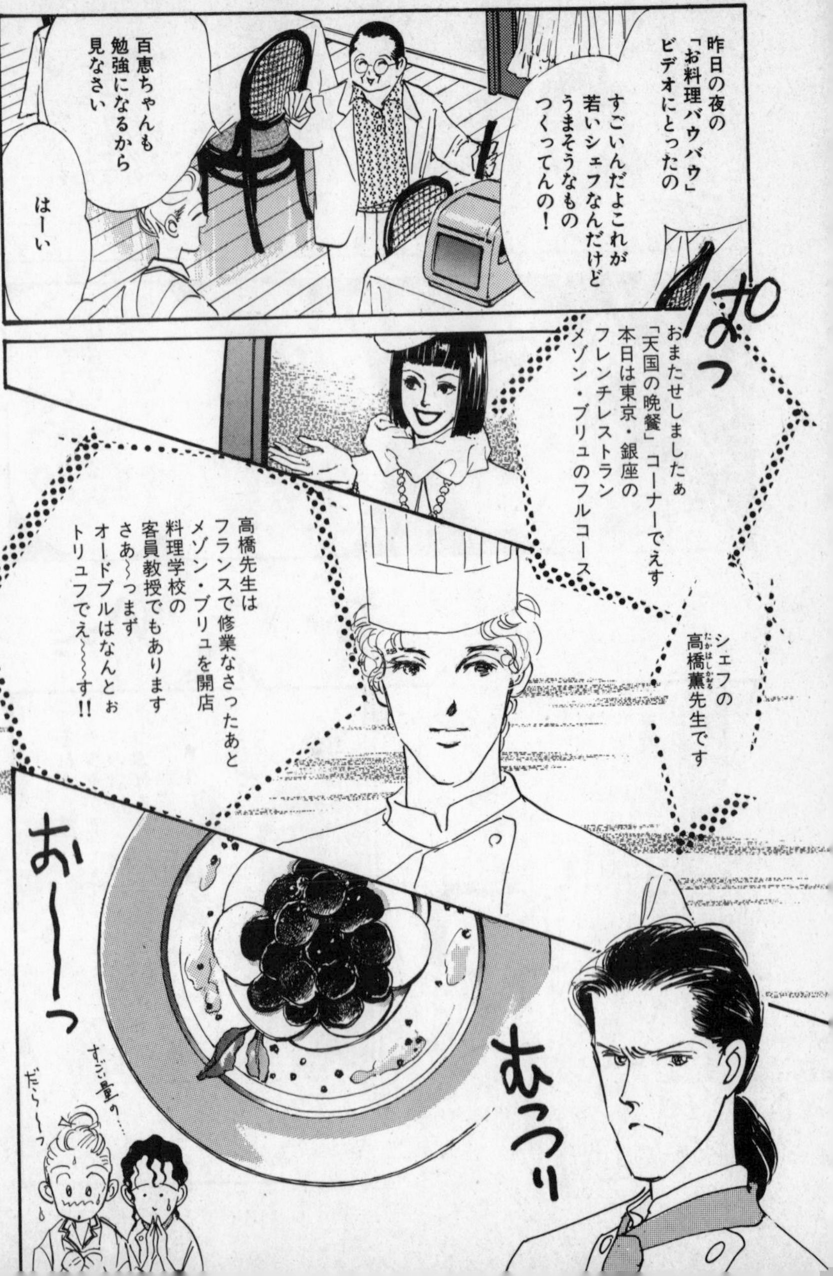
昨日の夜の「お料理バウバウ」ビデオにとったの
すごいんだよこれが若いシェフなんだけどうまそうなものつくってんの！
百恵ちゃんも勉強になるから見なさい
はーい
ぱっ
おまたせしましたぁ「天国の晩餐」コーナーでえす
本日は東京・銀座のフレンチレストランメゾン・ブリュのフルコース
シェフの高橋薫《たかはしかおる》先生です
高橋先生はフランスで修業なさったあとメゾン・ブリュを開店
料理学校の客員教授でもあります
さあ～っまず
オードブルはなんとぉトリュフでえ～～～す!!
むっつり
お～～っ
すご量の……
だら～っ

カキの冷製
コンソメゼラチン添え
鴨《かも》のオレンジソース
デザートは洋ナシのパイね
ああ おいしそうで めまいがする
すばらしいなあ ぼくもこんな料理に もっと早く 出会えてたらなァ
昔はフランス料理 なんて ニセモノばかりでね
教えてくれる 人なんて いなかった
今じゃあ しがない 洋食屋さ
「成功している」 洋食屋ですよ
まあまあな
さあ開店開店!
ときどき——

織田のヤロウは私にはよくわからない顔をする
昼のランチ
A.1200円
牛スネ肉の煮込み
ライス or パン
サラダ・コーヒー付
B.2400円
本日のスープ
真鯛の冷製
鴨のロースト
ライス or パン・サラダ
デザート・コーヒー付
冷笑——
自分を笑ってるような——

謎だわっっっ
まんぷく
中華
レストラン
プチ・ラパンは
満腹食堂
なのかなア
ごちそうさま
なに？
それ
お料理には
2つの種類が
あるでしょう
飢えを満たす
料理と
味を楽しむ
料理
ふんふん
どっちがいいって
言うんじゃないの
どっちもあるのよ
あたし

織田さんのは
味わうことが
好きな人のための
料理――
TVにでてたような
料理の人だと思う
そりゃ
ちょっと
ひいき目じゃない？
あたしがあいつを
ひいき目で見る
理由なんかないわよ
毎日毎日
ネチネチ
イビられて
どなられて！
ばかだアホだ
言われて!!
あ
でも
才能はあるの!!
料理は才能よ!!
くやしーーっ
なのに
あいつ…
ふたこと目には
商売商売
――って
お客さんに
味も値段も納得して
食べてもらえなくちゃ
プロじゃ
ないですからね
安くておいしかった
そりゃ
そうだけど……
ごちそうさま――
まんぷく軒
中華そば

織田さんの本気の料理食べたいなぁ
あー食べたぁい!!
あれじゃたりないのかな
……
そうだ
木村くん明日の休みは彼女とデート?
え そんな人僕には…っ
じゃ私とデートして!?
にっ
コケケッ

木村くん
こっちこっち
きょとん…
さーて何を食べようかな
百恵さんて
ドゥマーゴかな
二笠会館かな
きれい…
コックは
いいものも
食べなきゃね
やっぱり
ここまできたら
メゾン・ブリュで
食べたいわね

あんな一皿
一万円も
するような店!!
わわわ
Maison Bleu
いらっしゃいませ
感じがいいわ
シェフが若いからかしら
華やかで
かたくるしくなくって
落ちつくね

フォアグラのパルフェ
トマトドレッシング添え――
神戸牛フィレ肉のあみ焼き……
おいしそう
あの……
ボク…あまり
もちあわせが…
だらだら
大丈夫
頼むのは
サラダ
だけだから
こんな格の高い店で
そんなことしたら
つまみ出されますよ
……

「オマール海老のサラダ」だけで？
そう
あとね
は
お水！
……
かしこまりました
なかなかお行儀がいい給仕さんだわ

オマール海老が
となりにきても
野菜の味が
ちっとも消えない
バランスがいいわ
決めた！
ここのサラダが
目標よ！
目標って
きっと自然農法か
何かの
高い野菜ですよ
すみません
シェフを
呼んでちょうだい

シェフの
高橋薫です
本物だあっ
あ……ら
お料理そっくりの
かろやかさ
うちのシェフとは
大ちがい〜〜〜っ
とっても
おいしかったわ
このサラダは
どうやって
つくるの？
聞いて——
どうなさる
おつもりですか？

普通のお宅では
つくれませんよ
お客様は
ただ楽しくおいしく
めしあがってくだされば
いいんです
…
かちん☆
給仕さんは
感じがいいのに
あなたは失礼ね
なぜ私に
つくれないって
決めてかかるの？
オマール海老は
ノルマンディーから
空輸しております
卵は千葉の
契約農場で
今朝とれたもの
ブロッコリー
カリフラワー
野菜類は
私どもの自社菜園
でつくったもの
今日はチコリが
出来が悪かったので
築地のもの
ドレッシングには
何の秘密も
ございません

サー…ッ
ぜーったい うちの店じゃ できない！
はは
マナーがなって いないのは お客様でしょう
どうか次は ランチ分のお金を おもちになって いらしてください
カタ…
私の作るサラダは これよりおいしいわ
食べにいらして 750円ですから
君は…
コックなの？

まだ見習いよ
シェフは織田圭二《けいじ》
何の肩書きもないけど
腕のいい男よ
ぜひうかがわせて
もらいますよ
何てこと
するの!?
高橋薫に
タンカ切るなんて
マスターや
織田さんが
知ったら!!
あんな
タカビーなシェフ
きやしないわよ
洋食屋に
なんて!

でもね
木村くん
人間ここだってとこでは
見栄のひとつも
張らなきゃダメッ
じゃなきゃ……
どんどん
ズルズル
キライな自分に
なっちゃう――
ねっ
うっ
見栄は自分の
責任内で
張って……
もし
ほんとに
きたら
あたし
クビよ〜ッ
…

ん
んーー
お陽様の味がする
この5番のトマトが勝ち!こっちのがおいしい!
5番は高級スーパーのお嬢さんトマトよ1個500円もするの
やっぱり味は値段に正比例するのかなぁ……
4

素材の良さだけが料理の全てじゃないでしょ？
だったらコックさんなんていらないわ
そう！そうよねママ！
——で どうしたらいいと思う？
バタ バタ バタ
他力本願なコックさんなんか出世しませんよ
なんですかそのカッコは！
あ
美子おばちゃま
ひとり暮らしなんかしてるからだらしなくなるのよ
はーい
ちょん
で—— どうなの？仕事は

男だって大変
なんでしょう?
女のあなたじゃ
何年かかるか
コックさんに
なれた頃には
行きおくれて
——
ズ…
男も女も
関係ないのよ
悪いこと
言わない!
お見合い!
ね?
ね?
どうして
そーなんの!?
良い方よ
銀行づとめで
まじめでおとなしくて
絶対安心タイプ
やさしそうでしょ?
趣味は和歌ですって
老後も楽しいわよ
きっと
ぶいっ
トマト

ギャハハハッ！
トマト男！
何がおかしいんですか！
夢みたいなこと言ってないで
まじめに考えなさいっ
ただいまノエル
はっ
ノエルちゃん
タタタタッ
ごめんごめんお腹すいてたのね
あ――っカンヅメがな―い

……
カタ…
きらいだよね
トマトなんか
鰹けずり
じゃあ
これは
どうかな
――?
おかか
トマト
おかかだけ
食べる
おかかだけ
あ…
…

くっくっくっ
トマト食べてやんの
あーー
ごめんごめん
すぐにごはん買ってくるから!
材料をワンランクだけいいものにしよう
全部はムリでもトマトとブロッコリーはゆずれない
申し訳みたいなサラダじゃなくっておいしいサラダにする!!

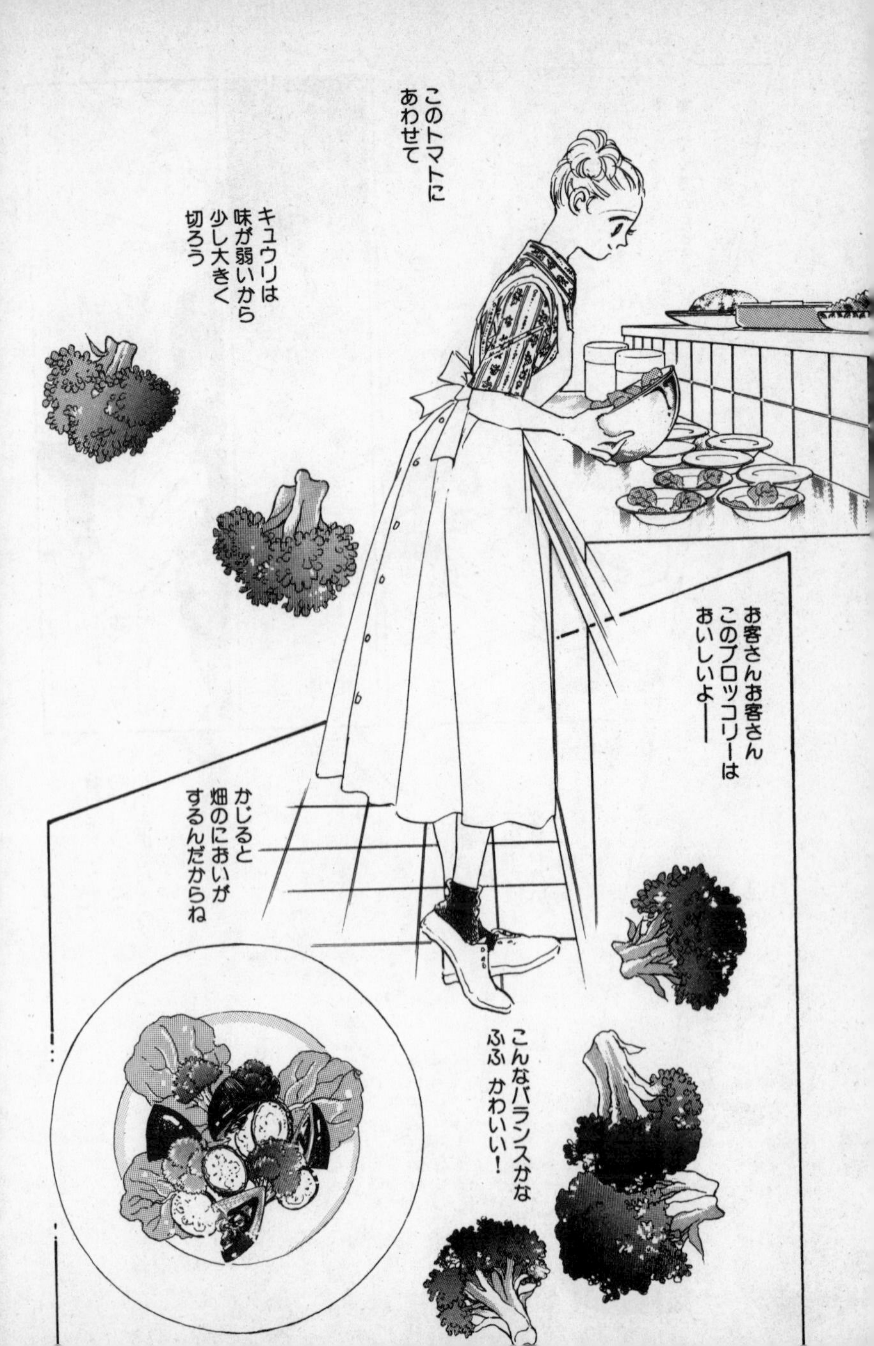
このトマトにあわせて
キュウリは味が弱いから少し大きく切ろう
お客さんお客さんこのブロッコリーはおいしいよ——
かじると畑のにおいがするんだからね
こんなバランスかなふふかわいい!

ほう 百恵ちゃんの作品かい?
はい!
八百吉さん 今日のトマトは いいね
あ
ははは
八百吉より 10倍おいしい トマトだよ――
あたしが 自腹 切ってるん だよ――ッ
うん うまい
ALICE
あ
織田くん 食べて みなさい おいしいよ

どう？ 前のより ぐうっっといい味に なってるでしょ？ これがサラダよ
私は私の できる範囲で プチ・ラパンの料理を 最高の味に しちゃうわ！
おおっ
さあ織田さんにも 頑張ってもらいましょ これにぴったりな ドレッシングを つくってよね！
ALICE
勝手なことを やるなら テメーでつくれ
う

味のバランスなんて他人にまかせちゃ台なしだろーが
ALICE
いっっ
いいわよ まかせてよ
ふん‥
あたし いままで
実はもう このサラダに ぴったりのドレッシングは 考えてあるのよ!
自分がこんな恐ろしい性格だなんて知らなかった——っ

パパが死ぬまでは世界はもっとフワフワしてて──自分はポケラーっとした性格だと思ってた
何の裏付けもないのに強い態度にすぐ出ちゃうなんて……
これって──
ドレッシングはどーした
命取りになるかもしれない
ぼとっ

パパ〜〜っ
ヒントを
ちょうだ〜〜い
世界中のうまい料理を
食いすぎて
死んだパパなら
アイデアがあるでしょ?
他霊本願じゃダメか
あれだけ
野菜の味が出ると
普通の
ドレッシング
じゃ弱い――
でも
バルサミコ酢や
オリーブ油じゃ
洋食には
強烈だし
野菜を
くるっと
まとめる
酸っぱさ
―猫にカツオ節
日本人に……
!

梅ぼし……
ダッ
トン
トン
トン
シャコ
シャコ
シャコ
ふふふ
みてなさい
織田くん

梅肉を
ドレッシングに
入れただけじゃ
味が露骨すぎる
スープで梅ぼし
エキスを煮出して
ニンジンをつけこんだら
――歯ごたえがパー
ナ…ン
香草のオイルみたいに
つけてみたら
どうかしら
梅ぼしオイル
もっと品が
良くなる
そしたら
アクセントは
梅ときたら
………!

うちはいつ日本料理屋になったんだえ!?
ばれたか…さすが私が師匠と決めた男舌がバカじゃないわね
ふふ…
やーこやい
正体もないほどたたき殺したシソの葉と梅ぼしオイルがあいまってノドを通ったあとなぜかサワヤカ───ッ
あれ? 何だろうバジリコかな?
大根やゴボウがさわりたかったら並びの「志野田」がバイト募集してるぞ
いーじゃない日本の材料つかったたって!「洋食」って和洋折衷料理でしょ!?
あたまトンカチガンコジジイ

それともなに？
ここは本格的な
フレンチの店なの⁉
織田さんがアニョーのステーキや鴨のパテやエクルヴィッスやホワイト・アスパラガスのサラダをつくってくれるんなら
あたしだってニンニクバリバリでブルーチーズがプンプンのドレッシングつくっちゃうわよ！
……
お嬢さんグルメか——
きれいな料理の写真を見て休みの日にはお友達と楽しく食べ歩いて
いくらでも親から金もらって舌ばかりこえて

かっちーん
人間は無礼でも
味は本物だから……
いいかげんな人じゃない
悪い人じゃないって
思ってた
でも
言っていいことと
悪いことも
わからない
ただの
お料理バカ野郎
だったのね
あたし
やめます！
百恵ちゃん！
放っとけ!!

ゲンコツオヤジー!
北京原人!
馬ヅラ～～～ッ!!
薬局
キッ
バタン
あっ
高橋薫!!
良かった
道がこみ入ってて
迷ってたんだ
食べに
きましたよ

は…は
首を長くして
織田ともども
おまちしておりました
ささどうぞ
すぐそこです
から
やっぱり私はこの口のせいで死ぬ!
はあ
はあ
あっあれっ?
おかえりっ!
ゾゾッ
だらだら
織田……
織田先生!

「洋食」でいいからっ
一世一代の「洋食」
つくって下さい!!
ひざまずく
私の顔を立てて
一番おいしいの
つくって!
高橋薫が
きちゃったの
あたし
うちのシェフの料理うまいって
自慢しちゃったの!
わあぁ
本物だ!
TVと
同じだねぇ
いい男
──っ
ぷん!
帰ってもらいな
今日は何も
ないよ
織田先生っ
自分で
まいた種は
自分で
刈りな
わ〜ん
私はメシもろくに
たけましぇーん
織田くん
コックは
頼まれたものは
つくらなきゃ
ダメだよ

メゾン・ブリュの高橋薫に食べてもらうなんて光栄じゃないか
おはよーございまーす
もうお客さん入れてんですかァ?
僕がはこぶ大事なお客さんだから
カチャ…
は～い
オーダーは牛肉の赤ワイン煮オムレツライスサラダ2つ
ワインはシャルドネです
バン!

すごい
卵の半熟ぐあいが
ちょうどいい
こんなきれいなオムレツ
だれにもつくれない……
ふーん
たまたなら
こーゆーのも
おいしいわよねー

どき どき どき どき
ぶーっ
カチャ…
シェフを呼んでもらおうか
あら——っ もう食べないの!?
3年ぶりか—— 元気そうだな
すっかり食堂の味が板についてるじゃないか

人生棒にふって望んだ店がこれかよ
俺に言わせりゃこれは料理なんかじゃない
エサだね
高橋さん待って!
織田さんを知ってるの!?

兄弟
う…そ…
「グラン・ブルー」っていうパリのレストランでね同じシェフの所で修業した兄弟弟子だよ
やっぱり織田さんは「グラン・ブルー」にいた
私の舌はまちがってなかった!!
あいつは腕がいいのに商売の欲がないプロとして致命的だよ青くさい理想で成功をつかみそこねた
負け犬だよ
負け…
サラダはおいしかったよ
バイイ…
それは……あなたの価値感よ

バーン！
織田さんっ聞いたわよ！やっぱりグラン・ブルーにいたんじゃないの
？
すっごいお店よ
弟子入りするだけだって100倍以上の競争率なんだから
でも頭のかたそうなカチンコチンの古いレストランだよね
やっぱりコックなら自分の店を持って自分の料理で勝負したいよね
あーでもすごい！私グラン・ブルーのシェフの料理を習えるんだ

クビだ
おまえが出ないなら
こっちが出る

次のサラダ
カボチャにしよう
あ……
もう
そんなこと考えなくていいんだ
今日のトマトはまずいな
八百吉のトマトですから
？
トマトは毎日百恵さんが自腹切ってキノクニ屋の使ってました
自腹って……まったく金持ちって奴は
クビにしないでやとっておいた方があとあと良かったかな
トマトを買うお金はね……！

次はおまえの番よ
エルメスにジェニーに
プラダ
コックさんには
必要ないし
あ……
パパにつれられて
私のタンスにきたけど
いいお店に
食事に行く
とき用に
ドレスを3枚
残して
あとは
動きやすい服が
あればいい
もう服を売っても
しかたないんだ
織田さん
目がくもって
ますよ！
プン
プン
土下座してでも
あやまって
許してもらおう
傷つけたことを

パパとの思い出を売ってまで
他にやりたいことなんて
ないもの
プルルル‥
プルルル！
はい藤原……
織田だっ
出てこいっ!!
なっ
何よ
勝手に…
ふーん
私がいないと
不便なのね？
でも
土下座してくれたって
行かないわよっ！
するか！
んなもん
夜のメニューに
アミューズ・
ブーシェを
入れる
係は
おまえだ!!

すぐ行きます!!
パパ
私のクビは皮一枚でまだつながっています
コックとしてはまだ見習い中
フルコースで言えば前菜の前菜アミーズ・ブーシェみたいなもんです

「おいしい関係」act.2ーおわりー

おいしい関係 act.3

アミューズ・ブーシェって……
日本料理で言えば「つき出し」みたいなものよね
食前酒のシェリーやシャンパンと相性がよくって……
そうだ オーケストラの演奏前の音合わせに似てる！
おかしいことゆうね
わっいい音！これからどんな曲が聴けるんだろう
これからどんなお料理が私を幸せにしてくれるんだろうってワクワクするのよ
でね いろいろ考えてみたんだけど
Sketch

ぴらリ
?
あのね これは キャビア
こっちは とうもろこし粉と ベーコンの ポレンタ みたいなの
これはね なーんと 生カモの タルタルよ
次のページのはね ゼリー寄せ うずらのたまごが 中に入って可愛いの
シブレットをきざんで それが緑のビーズ みたいに キラキラ光るんだあ〜〜〜〜
想像図
味のセンスは いいけど 絵はすごいヘタ
キャビアだと? 生カモだと〜〜〜!?

そのあとの
前菜より
スープより
高くつく
アミューズ・ブーシェ
なんかあるか!
原価の計算をしろ
原価の〜〜〜〜
かけ算
割り算ぐらい
できんだろーな
お嬢ちゃん
きたっ
ふふふん
じゃあキャビアは
たらこにしようっと
こっちは
大根で
これは
トーフで
いつでも
クビに
してやるっ
日本料理屋に
行けーっ

バタン!!
ガサッ
?
あたまゴチガチ
脳軟化コック!!
ボケじじい
ぎゅっ
性格歪《ゆが》んでても師匠だからな礼儀ってもんがあるしな
そんなに安くてうまいフランス料理なんてできたらもっと日本ではやってるって!
高級素材じゃなくっても手をかけてあげようよタルトに焼いたり
あっそうかァ手間はタダだもんね
うん

こっちがタルトなら
こっちは生でさ……
木村くんて
本当はコールドだけじゃなくってストーブ前だってソースだってできるんだよね
え!?
でっできないよ
うそ まかないでつくってくれるクリーム煮なんて絶品だもん
カ~~ッ
それでも第2シェフだもんねぇ
木村くん何年目?
え 3…年…
はぁ…… くそまじめな木村くんでも3年——私なら30年だわ
でも料理をつくるなんてその気になればだれでもすぐできるよ
なぐさめないで
本当に大事なのはセンスとそれから……
天性のぶきっちょよ

つまり僕はその……オーケストラのその他多勢なんだ……
その他？
たとえば高橋薫なんてソリストなんだよ華やかなソロのヴァイオリニスト
フルオーケストラをバックにコンチェルトを弾くんだ
その他おーぜー
あ言えてる！
すっごく華麗な曲！モーツァルトよきっと！
織田さんはそーだなー一匹狼のチェリストかな

ボクはまん中に出ると萎縮しちゃってダメなんだ
2番手でのびのびするタイプかな
ふーーん
木村くんクラシック好きなんだ
うんワーグナーとか
え?
ぷ
カザルスかな

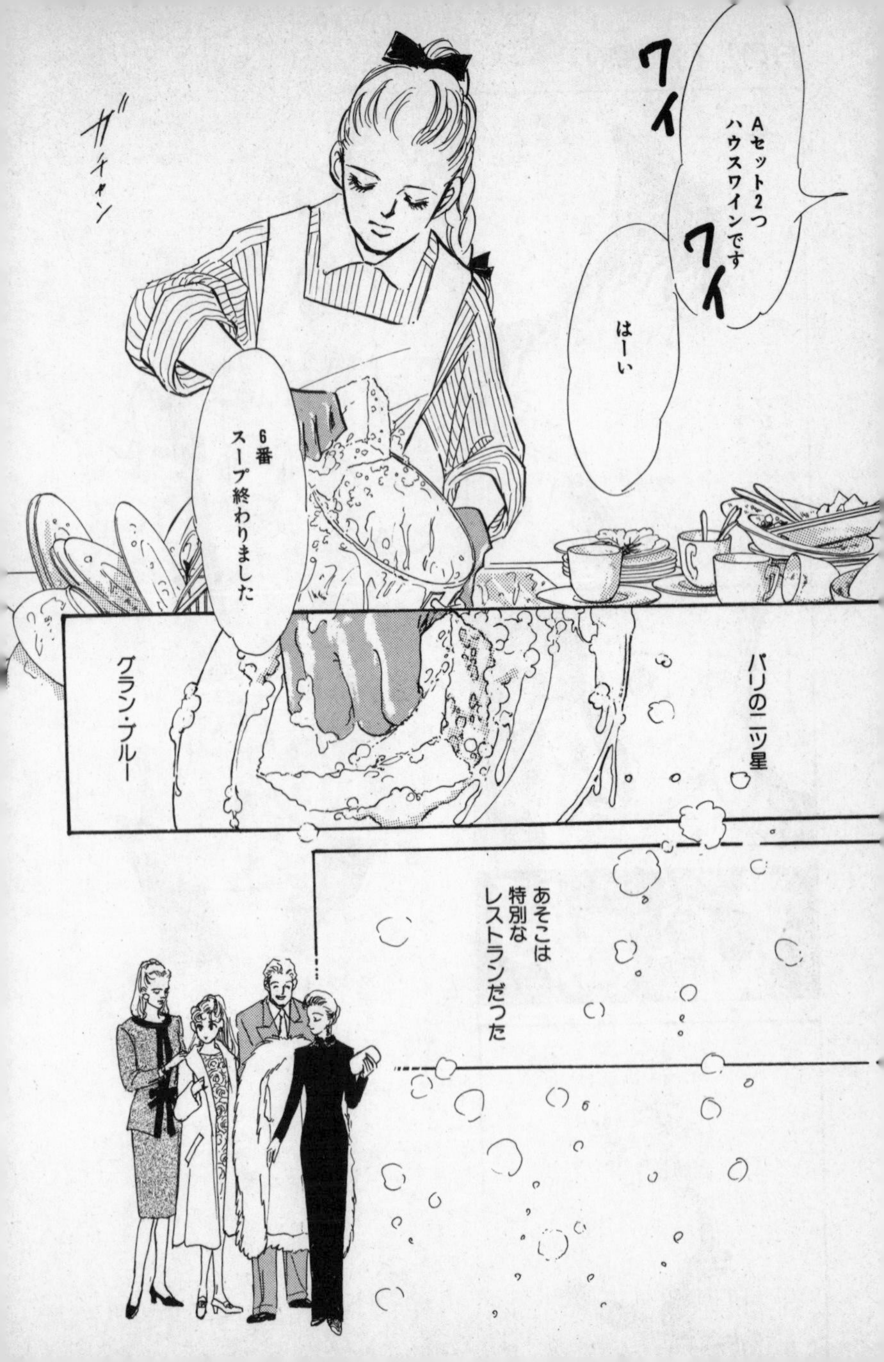
Aセット2つ ハウスワインです
ワイワイ
はーい
ガチャン
6番 スープ終わりました
パリの二ツ星
グラン・ブルー
あそこは特別なレストランだった

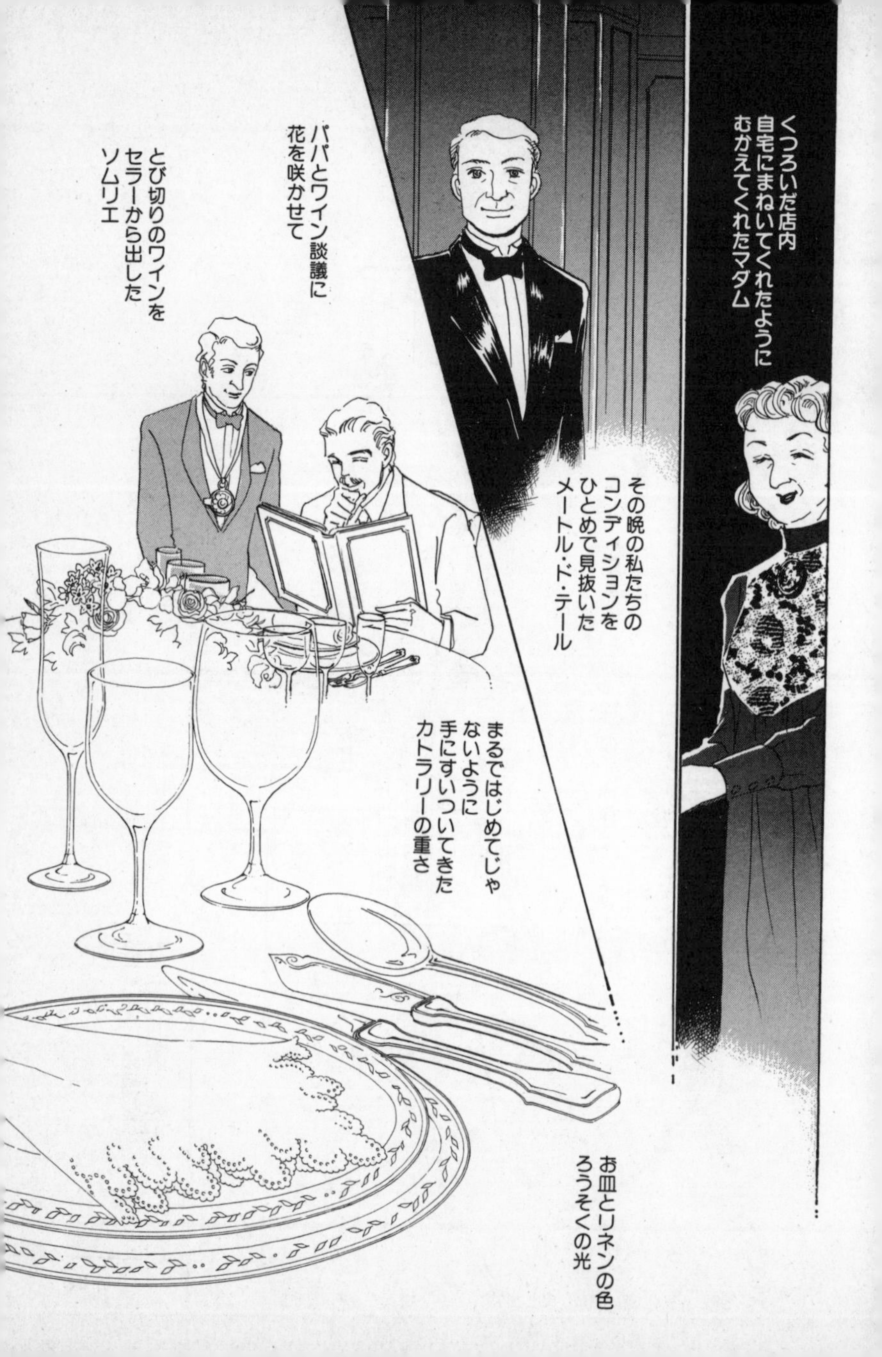
くつろいだ店内
自宅にまねいてくれたように
むかえてくれたマダム
その晩の私たちの
コンディションを
ひとめで見抜いた
メートル・ド・テール
パパとワイン談議に
花を咲かせて
とび切りのワインを
セラーから出した
ソムリエ
まるではじめてじゃ
ないように
手にすいついてきた
カトラリーの重さ
お皿とリネンの色
ろうそくの光

そして料理——
つくる料理人と
サーヴィスする人間と
客の——
フルオーケストラの
交響曲
「食事」なんて超越した
ひとつの世界だったわ
キュッ
……
……

そんな店にいた
ソリストが…
Petit La
CLOSED
おつかれ様──
今夜の
まかないは
「海鮮丼」だよ
わーい

百恵ちゃん 来週から もう少し いい野菜を 取るよ
夜に いいメニュー はじめるんだもの その分だけ でもね
百恵ちゃんに 自腹切らせちゃ おじさん 情けないし
ワイ ワイ
むっフフ…
なんだか わたしは 初心を思い出しちゃったよ
もう一度本気で やってみようか ——ってね
それからこれ 合羽橋《かっぱばし》で 買ってきたんだ
あ
百恵ちゃんの 制服

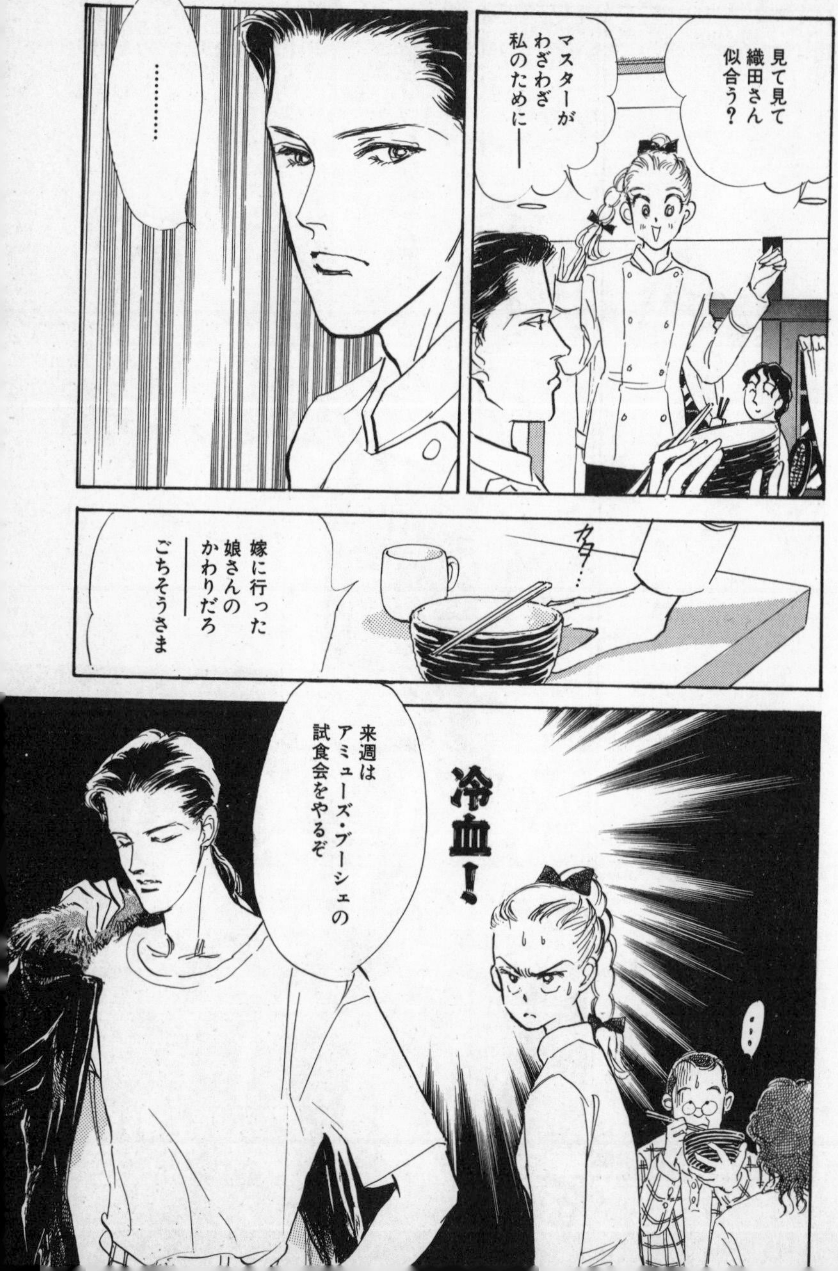
見て見て
織田さん
似合う？
マスターが
わざわざ
私のために──
……
カタ…
嫁に行った
娘さんの
かわりだろ
──
ごちそうさま
来週は
アミューズ・ブーシェの
試食会をやるぞ
冷血！
…

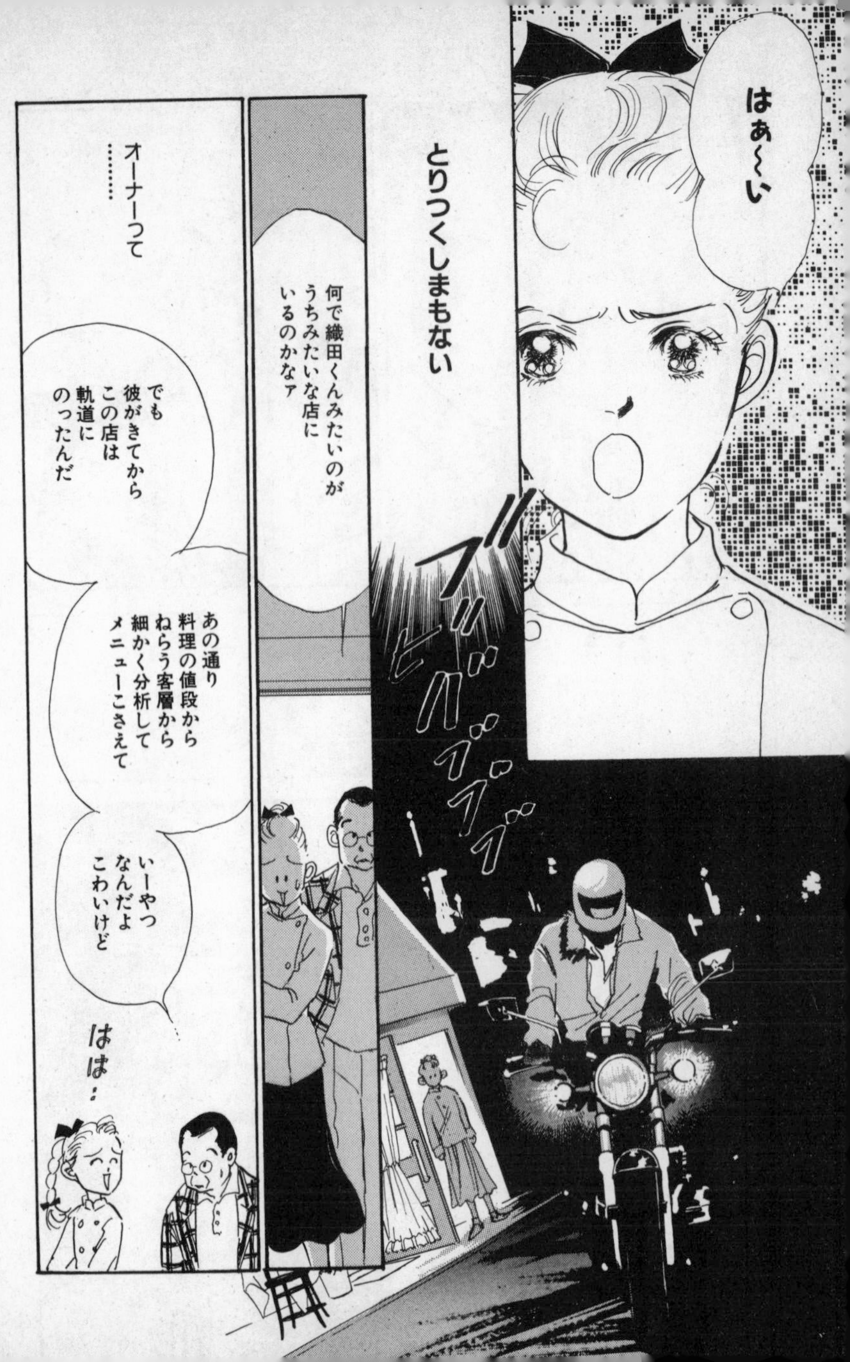

はぁ〜い
とりつくしまもない
ブブブブブブ
何で織田くんみたいのがうちみたいな店にいるのかなァ
オーナーって……
でも彼がきてからこの店は軌道にのったんだ
あの通り料理の値段からねらう客層から細かく分析してメニューこさえて
いーやつなんだよこわいけど
はは…

彼にやめられ
ちゃったら
どうしよう
ドキ
ドキ
ドキ
お人よし──
あたしこの人
好き──っ
ぷ
ぷ
ぷ
だいじょーぶ
私と
木村くんが
いるじゃない!
ドキン
ドキン
ドキン
ただいま──っ
海鮮丼の残り
もらってきたよ
ニャーン……
ペロ
ペロ

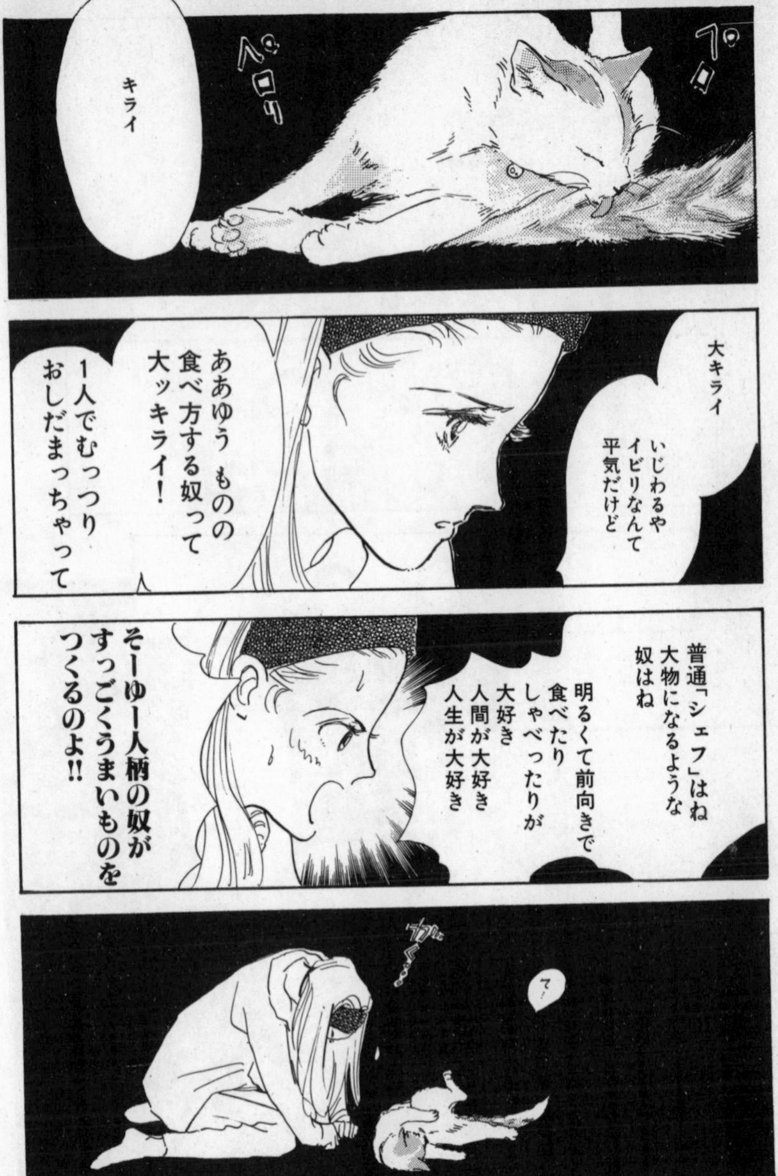
キライ
大キライ
いじわるや
イビリなんて
平気だけど
ああゆう ものの
食べ方する奴って
大ッキライ!
1人でむっつり
おしだまっちゃって
普通「シェフ」はね
大物になるような
奴はね
明るくて前向きで
食べたり
しゃべったりが
大好き
人間が大好き
人生が大好き
そーゆー人柄の奴が
すっごくうまいものを
つくるのよ!!

でも!
あいつの料理はお・い・し・い・のよ〜〜〜〜〜っっ
くやし——!!
ぎゅむ
あー あいつのシッポをつかんで
——と
ブリリッ
……
プン!

!
びっくりした?
あたりまえでしょ
メゾン・ブリュ厨房見学!
大きくてきれいな厨房
女の子はいないの?
いないよ
腕がいい娘なら入れるけどね
ボク女の子好きだし

たしかにみんな腕が立ちそーつ
何年め？
自分は3年目です
学校とか出たの？
三葉を卒業してオータラホテルでやってました
わっあそこ伊勢エビがおいしいよね
ここでは何をつくってるの？
皿洗いです
キラ☆
ぴーーッ
今年中には野菜洗いに昇格したいです!!
ニコッ
ガーン
ガーン
ガーン
ガーン
皿洗いに3年！
まさか野菜むしって3年そのあとは卵ならべて2年とか言うんじゃあるまいな
すごいヒエラルキーの世界!!
トップ
ヒエラルキー
底辺

メインダイニングの準備は?
OKです
ピラミッドのトップ——
はまぐりの味が出すぎてるつくり直してください
皿をかえてアビランドの方がいい
はい
ソリストかあ……
お茶でもどう?ケーキは好き?ごちそうするよ
きゃーっ
ねえねえケーキより
アミューズ・ブーシェ食べたいの!こんど私アミューズの係になったんだ
きみ……百恵ちゃん——だっけ?
うん!
いい子だね
そ?

白身魚のマリネ タルタル風と
小海老のシードル蒸しだよ
カチャッ
どう？ 講評してよ
おいしい
高橋さんはシーフードが得意ね
マリネにかくし味で入ってるのはおしょうゆ？

ふうん
織田が雇うだけのことはある舌がいいんだ
あははま・それ程でも…
――で本当の用事は何よ
教えて欲しいの
グラン・ブルーほどの店でやれる織田さんが何で洋食屋のコックなのか
本当の力をかくしてガマンしてるように見える…
その理由を高橋さんなら何か知ってるんじゃないかと思って
知ってどうするの？

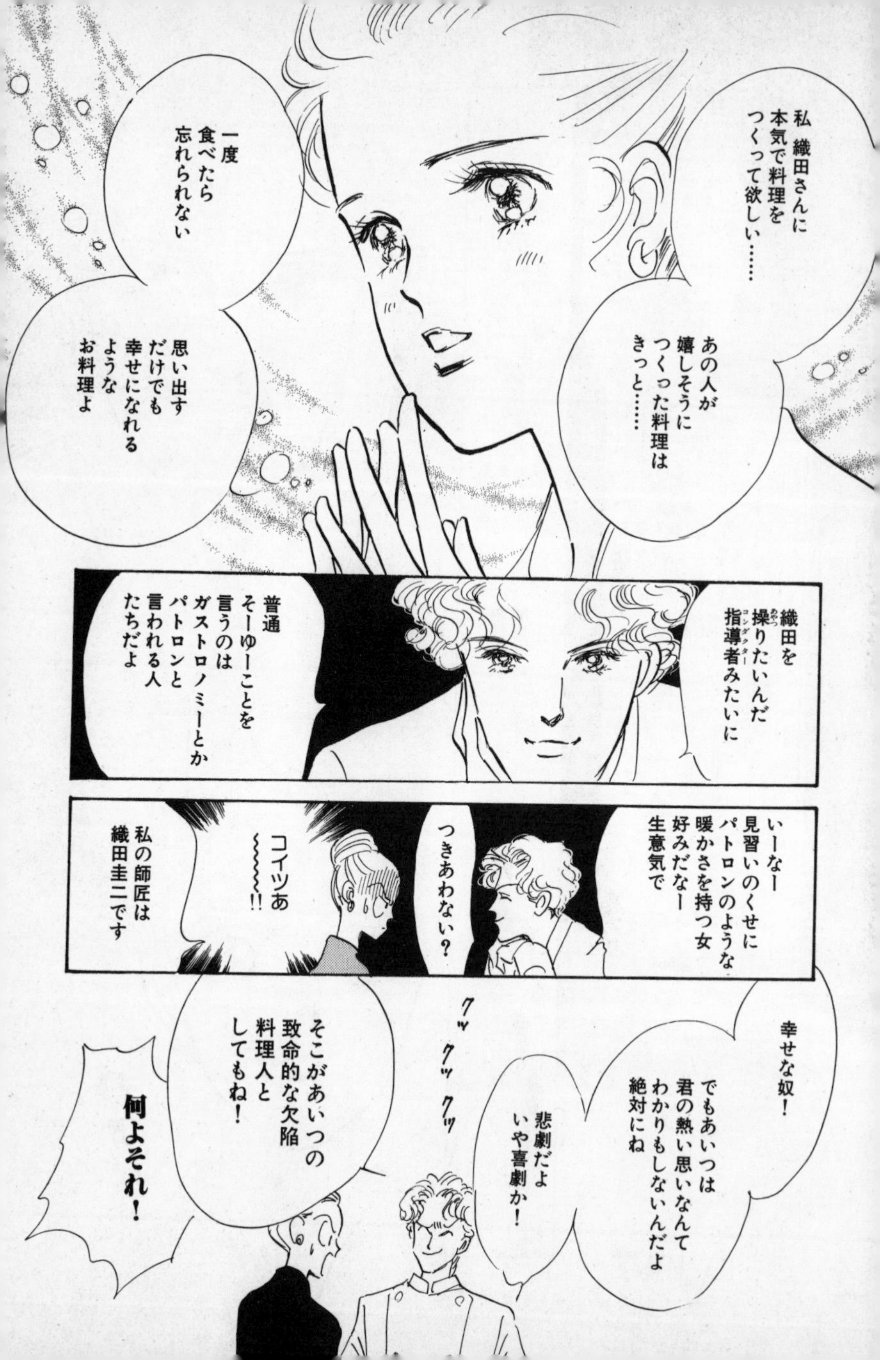
私
織田さんに
本気で料理を
つくって欲しい……
あの人が
嬉しそうに
つくった料理は
きっと……
一度
食べたら
忘れられない
思い出す
だけでも
幸せになれる
ような
お料理よ
織田を
操《あやつ》りたいんだ
指導者《コンダクター》みたいに
普通
そーゆーことを
言うのは
ガストロノミーとか
パトロンと
言われる人
たちだよ
いーなー
見習いのくせに
パトロンのような
暖かさを持つ女
好みだなー
生意気で
つきあわない?
コイツあ〜〜〜!!
私の師匠は
織田圭二です
幸せな奴!
でもあいつは
君の熱い思いなんて
わかりもしないんだよ
絶対にね
悲劇だよ
いや喜劇か!
クッ クッ クッ
そこがあいつの
致命的な欠陥
料理人と
してもね!
何よそれ!

でも
君が奴を生まれ変わらせればあるいは――
?
カチャッ
高橋シェフ開店の時間です
また食べにおいで僕の料理をフルコースで食べたらベッドまでつきあいたくなるよ
ただのバカか…

あー!
アミューズのヒントなら教えてあげる
織田の好物は春のキャベツ!
あ
パターン!
キャベツーーか

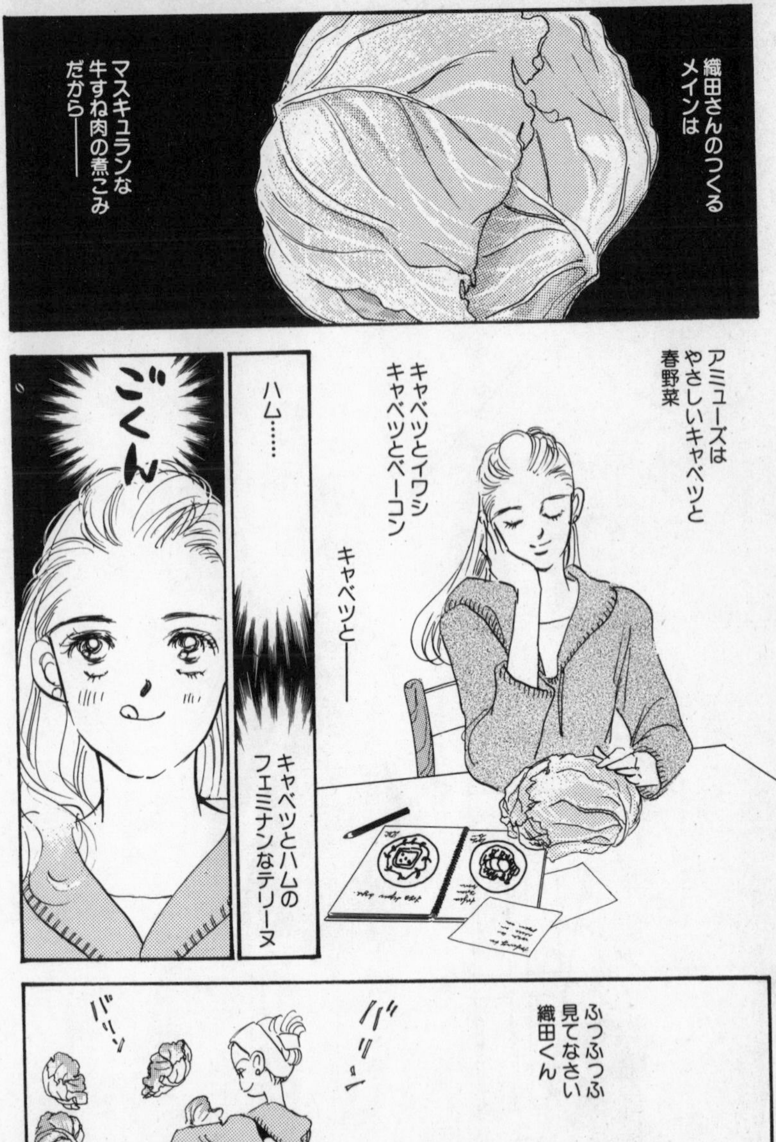

織田さんのつくる
メインは
マスキュランな
牛すね肉の煮こみ
だから――
アミューズは
やさしいキャベツと
春野菜
キャベツとイワシ
キャベツとベーコン
キャベツと――
ハム……
キャベツとハムの
フェミナンなテリーヌ
ごくん
ふっふっふ
見てなさい
織田くん
バリッ
バリッ

ギャあああぁ
またしても〜〜〜!!
どーして私には腕がないのう!?
オゥオゥ
固く巻いたキャベツ10枚むいてもチビキャベツ
自分がしんっじられな〜〜〜いっっ
キャベツキャベツ
甘いキャベツキャベツの芯
私の芯って何だろう
a core of cabbage
"食いしんぼう"だな——やっぱし
味は最高!!

しょぼりーーい
なんじゃこりゃ~~~~
むか
見りゃ わかるでしょ キャベツとハムの テリーヌ!!
ささ めしあがれ
見てくれは 悪いけどーー 食べたら ひっくり返るわよ

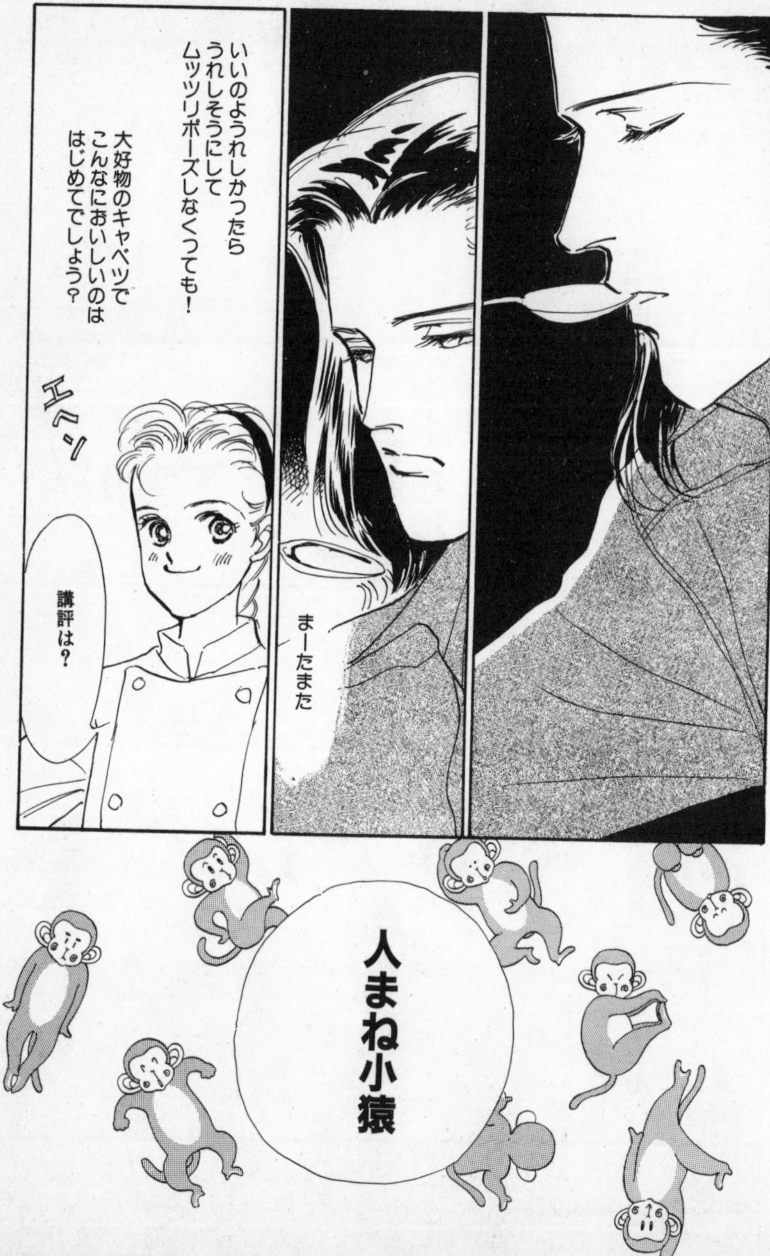
まーたまた
いいのようれしかったら
うれしそうにして
ムッツリポーズしなくっても！
大好物のキャベツで
こんなにおいしいのは
はじめてでしょう？
エヘン
講評は？
人まね小猿

な……
日本の食材に逃げるよりもっとタチが悪い
真似って何なの!?
ばっかにしないでよきのう一晩考えて……
カチーン
見習いが口ごたえするなっ
理不尽──!!
あたりまえだ職人の世界は理不尽と相場は決まってる
だから女はいやだって言ったんだ
わー

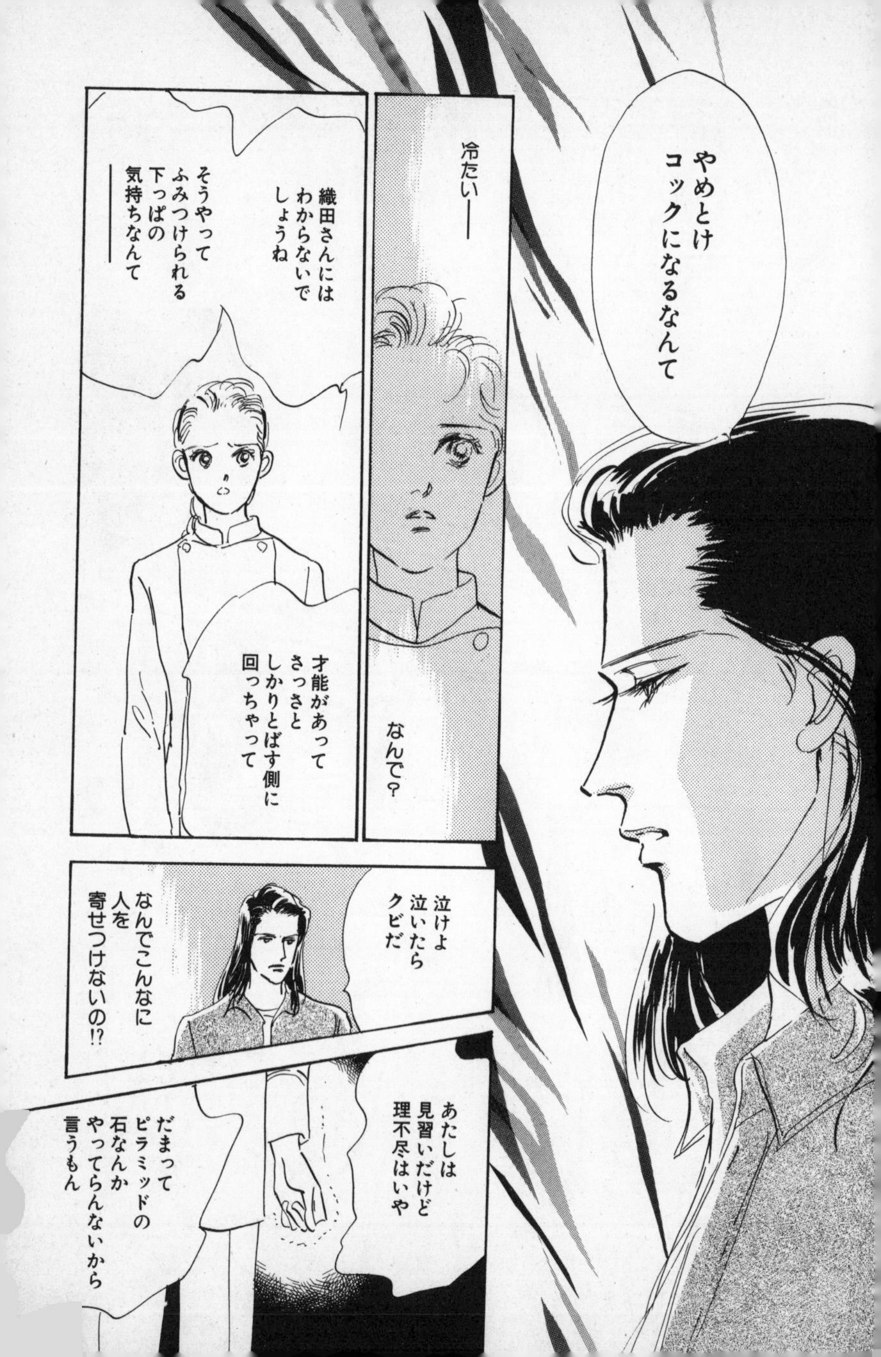
やめとけ コックになるなんて
冷たい――
なんで?
織田さんには わからないで しょうね
そうやって ふみつけられる 下っぱの 気持ちなんて ――
才能があって さっさと しかりとばす側に 回っちゃって
泣けよ 泣いたら クビだ
なんでこんなに 人を 寄せつけないの!?
あたしは 見習いだけど 理不尽はいや
だまって ピラミッドの 石なんか やってらんないから 言うもん

ここじゃ王様かも知れないけどねえ
本当は私をしかる資格なんて織田さんにはない！
見習いでもあたしは頑張ったもん
それに比べたら織田さんなんか実力あるくせにサボってるじゃない！
な…
何もチャレンジしない！
サイボーグみたいに正確にお仕事をこなしちゃってさ
ケチ！出しおしみシェフ!!
ガタリ

私の方が えらいもん 絶対えらい!! だから 私の方が 大物になる
わかった わかったから 百恵ちゃん
そしたら あんたなんか
ちがう 全然ちがう
うっ…
そんなこと 言いたいんじゃ ないっ
目のゴミ 取ってきます!
ダッ
だから女は イヤだって 言ったんです
ガルルルル…
あわわ…
ただいまー
キイッ

どしたんですか
百恵ちゃんは？
あれ？
な…何も
教えて
ません
!?
ああ春の定番
キャベハム
テリーヌね
そろそろ
メニューに
入れるんだ
ポロ…
でも
ひさびさに作ると
織田さんでも
失敗するんですね
木村〜〜〜
おまえだな〜〜〜
あいつに
テリーヌの
レシピを
教えたのは〜〜〜
え これ
百恵ちゃんが
つくったの？
織田さんの味
だからてっきり……
材料も
分料も
色どりも
あ…でも
この形の
むごさは……
あいつが
自分で…考えて
つくった…？

空しい――
私を泣かせる料理をつくる奴と
なんでこんな関係なんだろう
Coffee

あら
どうしたの？
百恵の好きな
「長命寺」のさくらもち
なのに
絶対相性の
悪い人間って
――いるよね
でも――
みんな
ガマンして
頑張ってるん
だよね
ママだって
美子おばちゃまと
仲が悪いのに……
……
パタ
パタ
淳子さん
淳子さん

せっかく借りたけど やっぱり はずかしいわ こんな きれいな色
あーら 似合う! ほらね明るい色目の方が お顔がパッと映えて いいですよ
そうかしらねえ 見慣れないせいかしら 帯はどう? ちょっと大きく つくりすぎじゃない!?
これくらいが ちょうどいいですよ お義姉さん 身長があって パッと目立つタイプ なんだから
わキャ
やーねー
あい あい
あンぐり
あれ 何だ いたんだ百恵ちゃん
あ… おじゃましてます
ぺこ

早く
お見合いしなさい！
ね！
じゃあ
行ってきまーす
ママどうやって
手なずけたの!?
痛いところを
つつきあうだけの
関係なんて
不毛でしょ？
ママは前向きに
やっていくことに
したの
まえむ…き…
この
「永遠のお嬢さん」
の口から
そんな言葉が
出るとは……
キラ
キラ
今まで パパに
そうしてきたように
美子義姉さんに
してるだけ
かわいがられるためにはね
自分から先に
愛情を与えなきゃ
ダメなのよ

自分から先に与える……かぁ
やってみるか——
パパ——
パパは
ステキな女性を
奥さんにしたんだね

「おいしい関係」act.3
—おわり—

うあつじー！
じうっ
ダメーーッ またこげすぎーーっっ
う〜〜ん
白身がこげなきゃ 香りの楽しみがなくなっちゃう
でもこーんな炭化しちゃ ただの毒ーー
これでコックですたァ あたしも図太い女だね♪
でもでもっ 黄身の具合は すごいっ 半熟でうまそうっ どーだ織田！
ふおっ ふおっ ふおっ
それにこの！ 土鍋でたいた ごはんの おいしそーな ことっ!!
うふふふ この黄身のまん中に
しょうゆを 3滴 たらすのが 通なのよね
あぎゃっ
どぽーっ

おいしい関係
act.4

私も上達したでしょ？パパ
こんど ママにも食べさせてあげるんだ
ふふ
パパは食べる事がうまかった
食べる楽しみを知りつくしてた
食べすぎて肝臓こわしたんだもんねェ
お医者さんに食事制限を言いわたされてからは
朝ごはんなんて猫のノエルより質素だったけど
ワンダホ♥
……
いつも一番に食卓について
おーい今朝の卵は色つやがちがうぞとか
今日は岩のりが付いてるとか
みんなにアナウンスして
盛り上げて──
食べる前からもう食事は始まってる
──って言ってたもんなァ
オハヨウ
カタッ
その声に呼ばれて家族がみんな集まって
やっぱり──
ひとりで食べるごはんは味気ない……

織田さんは
いつも1人で
平気なのかしら
ミシャン!!

あ
どうかなァ
キャベツとハムの
テリーヌなんだけど
ロールキャベツに
仕立てたの
これなら
余計なテク
いらないし
私でも何とか
かわいらしく
つくれたと思うの
うん
これなら
織田さんも
ＯＫを
手を抜いて
ＯＫ
もらおうって
〜〜〜〜っ
来たっ

手を抜くのは
い——心がけだ
コストは安く！
味はおいしく！
わ〜〜〜ん
すみませ〜〜〜ん
フン
いいわよ
もう一度
つくり直せば
いいんでしょ
百恵ちゃん
百恵ちゃん
早まらないで
ほめられ
たんだよ
へ

織田さんて
人のほめ方が
へたなんだよ
てれ屋さんなの
ほほほほ
本当に
ほめられたの？
なんて言ったっけ？
コストも考えて
手間も少しですむ
味もおいしい
――って
ポワン…
……
――…
……
きゃーんっ
ちょっと言いすぎたかしら……
いらっしゃいませ
いつもので
いいかい
はいよー
日替り
2つ――っ
はーい

自分から先に
与えるのよ
料理は
客の目の前に
はこばれた瞬間に
一番最高の
コンディションに
なるように
つくられる
さっ
手早く
皿のまわりを
きれいにして
飾って
出す
上がりました
次は
ハヤシライスが
2つ――と
カタ…

笑った……?
笑った!!

チャンス──かも
2人の間がぐつとちぢまつた時に与えれば……
与え……
はて
何を？
今日のまかないお昼は焼きビーフンだよ！
う～～どうしようまた1人で食事してる
こつちで一緒に食べない？
ドキドキドキ
一緒に──

藤原
あは
はははい！
ど"き——っ
明日
あいてるか
は？
明日——
かあっ
え!?
まさか
まさか——
愛ってこんな簡単に
伝わっちゃう
ものなの!?
でも
そんな急に
デートに
さそわれても〜〜っ
届けもの
してくれ
あ
ぐ"わくっ

青梅まで行ってほしいんだ
はあ
織田千代様
織田《おだ》千代《ちよ》様──
おふくろだ
なんであたしがあんたのお母チャンに──?
ま……いいか
百恵ちゃん!
はじめてほめてくれたしなおつかいくらいおやすいご用ですけど
はい おあずかりします
木村── 午後はAセット20個で終わりだ
はい

カラリン…
いらっしゃいませ
キラ…
キラ…
ママボクね
ボクね
お子さまランチ!!
お子様ランチ
ありますか?
えー
そーいうのは
ありません
…
あ
Cランチは
いろいろ入って
大盛りですから
ママとボクで
ちょうどの量
ですよ

じゃあそれ！一緒に食べよ？
うん
Cランチひとつ ママとボク用 別々に盛りつけます
すごいねー ママ レストランなんて ずっと こなかったねー
しーーっ
パパもお仕事休んでくれれば いーのにー 電話しようよ
くすっ
ギロッ
4人席で ランチひとつじゃ 利益率が 低すぎるっ!!
私の手間は タダですから いつも通りに お願いします
たまご1個 買いまーす

お皿はこれこれ
青いラインで
男の子らしいやつ
これに
盛りつけて
あげよう
ラディッシュで
ミニきのこ
ゆでたまご
にんじん　ゴマ
ガウ
たまごで
うさぎ　パンダ　はりねずみ
プチトマトの
サラダボール
にんじんと
パセリでつくった
チビニンジン
LEEの
お弁当特集より
かわいーーっっっ
くすくすっ
コロッ

あぐ…
むっつり
ぷ…
おまたせしました
ハイこれボクの方
りわあっ
すごいよママ
オバケが
いっぱい!!

もっと子供も来てくれるといいわね
私が小さい時はデパートのダイニングが好きだったなア
デパートっておもちゃとお洋服とレストランのお店だと思ってた
毎回ちがったセットメニューを頼むのが好きだったな——
お子様ランチじゃないの？
お子様ランチって少ししかなくて甘ったるくて子供の舌をバカにしてるんだもん!!
ぷーっ
カラリン。

あれ？ママは？
すぐ帰ってくるよー
おいしかった？
うんっ
しあわせ
ワイワイ
1500円でございます
ごちそうさまー
ありがとうございました
ランチタイムは終わりました
木村くんデザートのタルトひとつくれる？
たーい
くっ‥

どこ行っちゃったんだろう
もう20分ぐらいたつよ
ほんとね
タルト食べない？サービスよ
カラ
はっ
ちわっデイリー、タオルでーす
DAILY

カチ
カチ
カチ
カチ カチ
カチ
バサッ
バタン
オーナー あとたのみます
えっ
織田さん!?

どうしたんですか
織田さん
具合でも
悪いの!?
さあ
織田くんが
いない間に
お客が来ちゃったら
どーしよう
わーい
オーナーの
お料理
はじめて
見れるー
ハーイ
いつもの
ハヤシたのむねー
わあああ

ただの
ハヤシですよ
野菜はこっち
ドミグラスはここ
百恵ちゃん肉出して
う
うんっ
まさか
オーナーは
肉とマッシュルームと
玉ネギだな
まさか——
肉と
パラ
パラ
それは
マッシュ
ルーム!!
じょーっ
ゆら〜
これない?
わ

わたしが
つくります
きゅう〜〜
ごくっ
準備OK!
あとは
手ぎわよ
メラ
メラ
メラ
ギャアアアア!

あー これは こがさなくて いーのよ〜
あ〜 肉が ちぢむ〜っ
なく なる〜っ
ボクが…
わわわ
ボクが やります
早くそう言って くれ〜〜〜〜
最後まで 私がやる—— やる——
百恵ちゃん 度胸だけじゃ ダメなんだよ
くすん
ホントに そうだ

度胸だけでもダメ——
腕だけでもダメ——
昔つくれても
毎日つくって
腕を磨いてなきゃダメ——
いつくら
料理が好きでも
コックには
向かない——って
ことだってある……

うまい
空腹は
最高のスパイス
——ってね
あ
いけない
あの子が
いない！

ボク!?
ぽつ……
大丈夫よ
すぐもどってくるよ
お店に入ってまってよ?
プリン食べる?
……
じゃあ
キッチン
見せて
あげる
うん
ザワ…
やめてくださ

ママ！
あやまっているでしょう!?
ズンズン
ズンズン
織田さん!?
あやまるなら子供にあやまれっ!!

母親のくせに子供を放ったらかしてフラフラ
その間に事故でもあったらどうする気なんだ
そんなつもりじゃありません
サイフを忘れて結局駅むこうの交番まで……
子供よりサイフか
織田さん
どならなくったっていいでしょう
ボクは大丈夫だったんだから
うるさいっ

おいてかれた子供の気持ちを考えろって言ってんだ!!
ママをいじめるな!!

すみませんね
腕は立つんですが
気の短いバカでして
いえ……
本当に
ごめいわく
おかけしました

こんな織田さんも
オーナーも
木村くんも——
はじめて見た……

この角を
右に曲って——
ポテ
ポテ

いまどき
東京でも
こんな家が
あるんだ
すつご——い
こんにちは——
こん……
すぐ戻ります
ご用の方は
エンガワで
お待ち下さい
……

夏みかん
栗・桃
アンズ
キンカン
いちじく
ざくろ
ふふ
食べものが
いっぱい植わってる……
お母さまも
料理の名手
なのかなァ
織田さんに似てるのかしら
何の用だッ

こわかったなァ昨日のあいつ
私ばっかり
織田さんに近づきたがって
うまくいったらいいのにって
夢ばっかりで
そんな風に見えただけで

本当はちっとも
近づけない……

遅い…
ころん…
手紙おいて帰ろうかなァ
織田さんこの家で育ったのかあ…
こういう古いおうちは冬は寒そう
でもそのぶんきっと春がうれしい家だわ
ザク
ザク
百恵
ザク
ザク
寒いなァ
ザク
う〜〜〜〜っ

歯の根が
あわないよォ
肩も首も
痛いし
いた!!
ラーメン
あの屋台だよっ
ほっぺと耳が──
ちぎれそうだよォ

ここのは東京一だ
この寒さで
今夜は特別うまい
体が本当に望んでいるものは
たとえ水一杯でも
10倍うまく感じるだろ
10倍幸せ
うん
あんたらみたいな
酔狂な客は
はじめてだ
ははは
ははは
あはは
何だこの女は
上等な服着て
口あけて昼寝だ

がばっ
よだれ！
ばっ
よっしょ
だらしないね
このごろの
お嬢ちゃんは
こここここんにちは！
わたくし藤原百恵と
申します
圭二さんのもとで
修業中の
コック見習いで…
あー？

織田千代様
これを圭二さんから
あずかって
まいりました
は…圭二か
元気か
あのできそこないが
はいっ
お元気で
らっしゃいます
そりゃもう
毎日お元気！
ふ……ん

では私はこれで
おいとまいたします
ペコリ
・・・
用事も
すみましたし
これ
これ
朝掘りの
たけのこを
煮ようかな…
ぐら
さっさと
米とぎな
は？
ははは いっ
木の芽
つんできな
はいっ
じゃっ
じゃっ
じゃっ
同じ
織田と同じだーっ
わっ
どこまで
むく気だよ
どあほっ

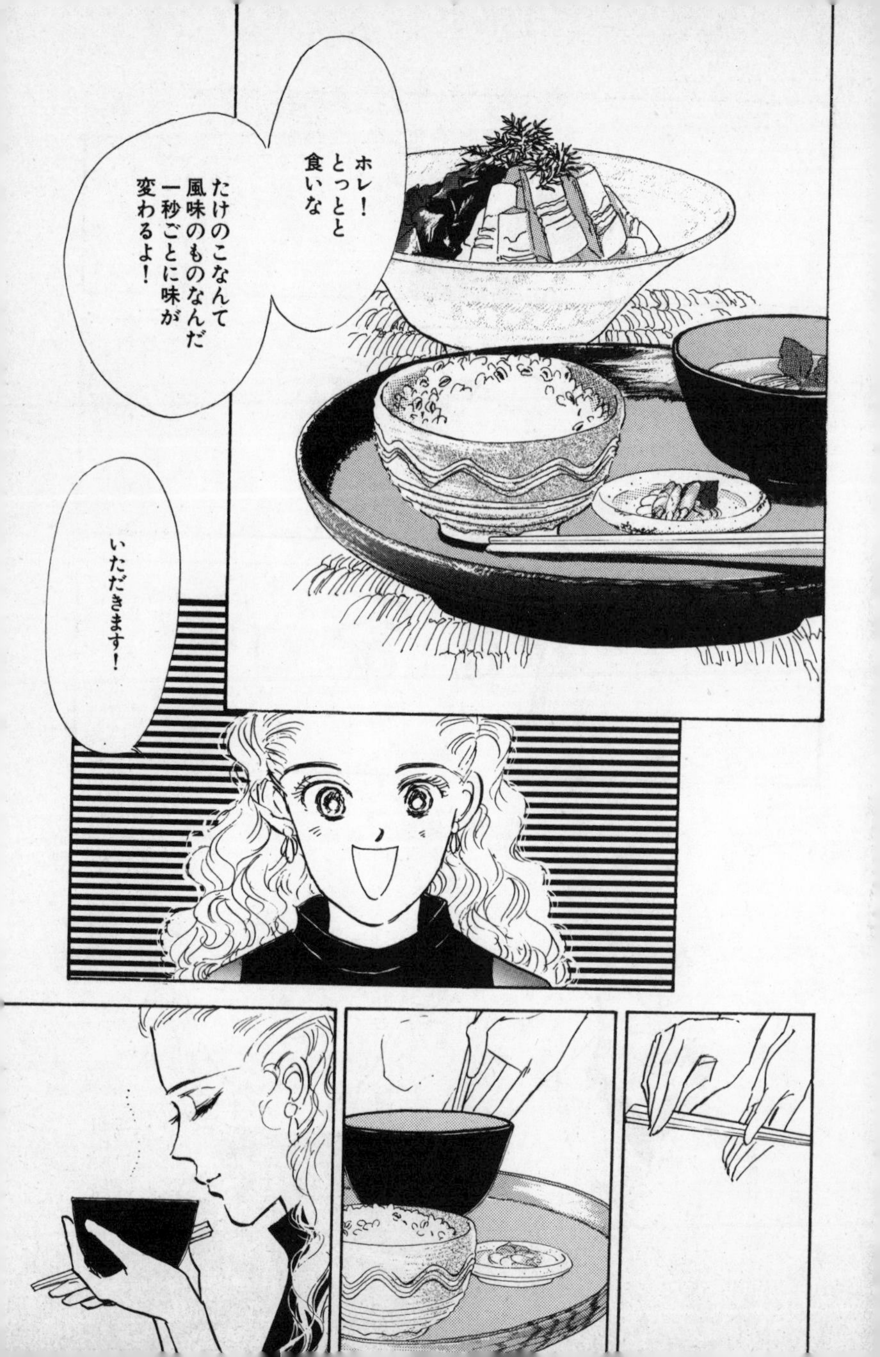
ホレ！とっとと食いな
たけのこなんて風味のものなんだ一秒ごとに味が変わるよ！
いただきます！

パチン!!
織田千代——
料理の達人だわ
天衣無縫
味はもちろん
季節——
私の体調にあった塩かげん
タイミングに一分の狂いもない
——もてなし……
ごちそう様でした
最高のおもてなしをありがとうございました
ふ…
ふおっ

ふぁふぁっふぁっ
わたしの見たところでは あんたの親ごさんは とんでもない グルマンだね
ギクッ
あんたは小さい頃から これ以上はないという程 うまいものを 食っている それもごく自然に！
食べものに対して おびえたり 卑屈になったり バカになったり しない
作法も たたき こまれている
つまり 味わい方だ
たけのこを 単品で味わう
わかめを 単品で 確かめる
次にその2つを いっしょに口に入れて
2つの素材が つくり出す味を 味わう
ばばあをびっくり させるね こんな小娘のくせに 何者なんだい？

このばばあこそただものじゃあないっ!!
できそこないの圭二に教えてやりな
食べる事の幸せを
あの氷のようなコックを1人前にできるのはあんたかもしれん

どこかで同じことを言われたことがある
高橋さんだ!
君が奴を生まれ変わらせれば
これでもコック
織田さんは……どうして本気にならないのかしら
あたしあの人天才だと思うの
そこまで言うなら教えてあげよう……
圭二は料理を憎んでいる

嬢ちゃんが
生まれた頃の
話だよ
クリスマスの
都心の
レストランに
幸せそうな一家が
ディナーに来たんだとさ
くらしぶりのいい家族で
シャンペンを抜いて
ターキーを食べて
ブッシュドノエルを
注文して
店長が
気付いた時には
両親の姿は消えていた
子供は泣きもせず
待った
客がいなくなっても
待った
従業員が帰っても
席を立たなかった

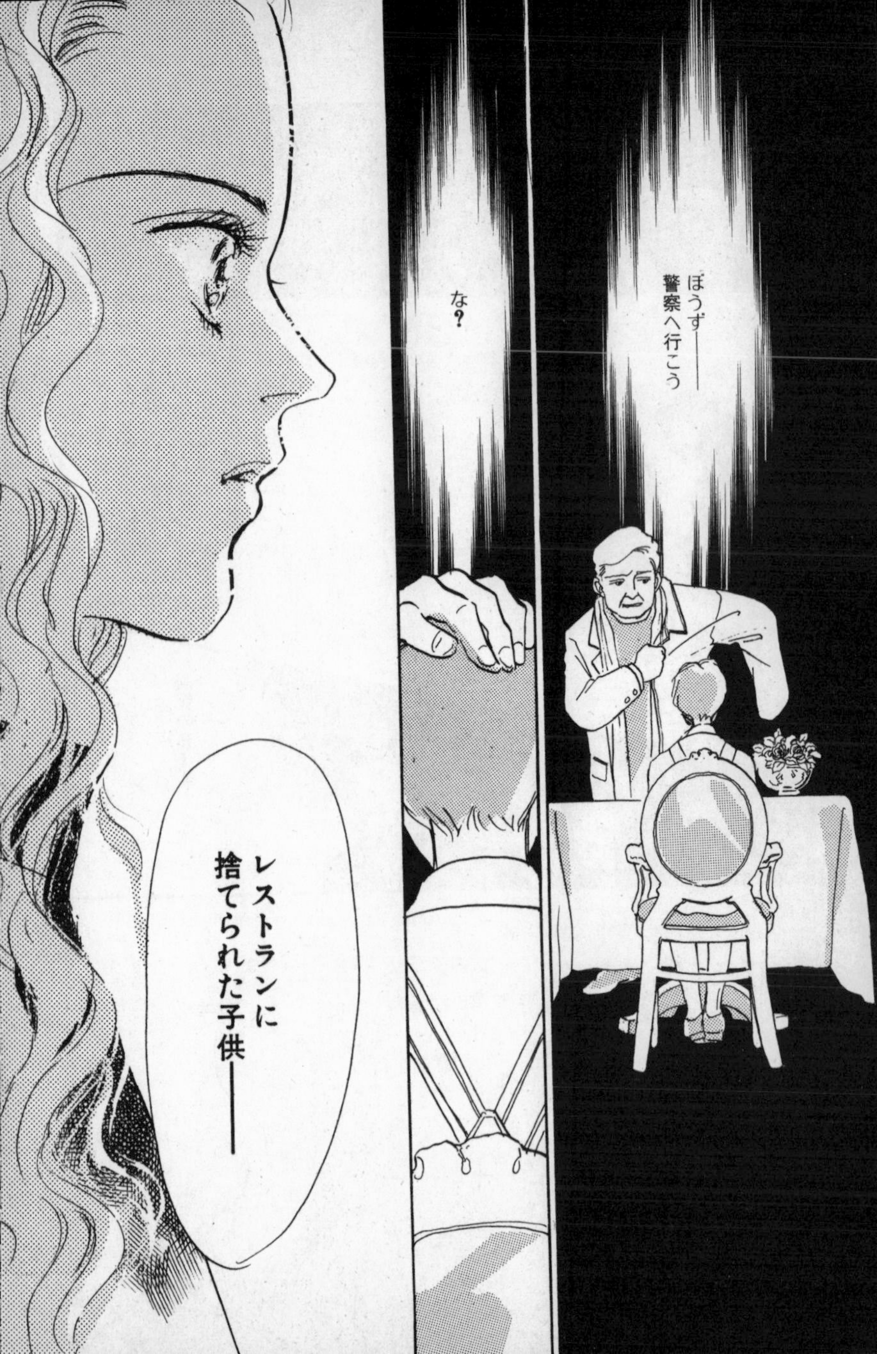
ぼうず——
警察へ行こう
な?
レストランに捨てられた子供——

翌日 自殺した
両親の遺体が
見つかった
最後の晩餐だったんだ
私が圭二を養子に
した時あれはまだ
16か17か——
なのに
つくる料理ときたら
油ののりきった
料理人の味がした
この子は
天才だと思った
料理は
才能がなきゃ
できん——が
才気ばしった料理ほど
嫌味なものはない——
それが圭二の限界だ

いらっしゃい
喫茶 青梅
カラ〃ン……
今日はいい陽気ですね
外はまるで夏でしょう?
寒い……
へ?
寒いの……
あったかいもんが欲しい

だれかあの子を救って
抱きしめてあげて
暖かい食卓を
用意してあげて
だれか!!

あたし…
あたし　コックになる!!
ジュウ–––…

あったかい料理を
つくるコックになる
織田さんが
気付くまで
今日のまかないは
私がつくったの
ここで食べても
いいでしょう?

あつたかい料理を
この人に教える
おしょうゆ3滴たらすといいのよ
目玉焼きから教えなくちゃな
へ？
どー
コックになるんだろ？
う…
うん！
ぜったいなる!!

圭二は
あの娘を
コックにしたいんだと
才能があるか
どうか見立てて
くれとさ
織田 千代様
ばかだね
圭二も
あのお嬢ちゃんは
コックには
なれない
あれが
なれたら
あたしゃ
逆立ちして踊っちゃうよ
ふお
ふお
ふお
ふおっ
ふおっ

パパ——
はじめて織田さんと食事しました
メニューはごはんとわかめのみそ汁目玉焼きとポテトサラダ私がつくったの
何だか胸がつまって
味がしなかった……

「おいしい関係」act.4—おわり—

コミックス

いずれも傑作ぞろい!

ヤングユーコミックス

おいしい関係①

1993年7月24日　第1刷発行
1995年11月15日　第8刷発行

著者　槇村さとる

編集　株式会社　創美社
〒101 東京都千代田区神田神保町3－9
第一丸三ビル
電話　03(3288)9821㈹

発行人　坂口紀和

発行所　株式会社　集英社
〒101-50 東京都千代田区一ツ橋2－5－10
電話　編集　03(3230)6261
販売　03(3230)6191
制作　03(3230)6076

印刷所　凸版印刷株式会社
Printed in Japan

ISBN4-08-864135-3 C9979

Young You Comics

集英社